はじめに

　本書には、所得税の基本的事項を中心にした問題を載せた。本試験での総合問題は、個別問題の集合であり、個別問題を十分に研究することが、総合問題で高得点を取る第一歩である。

　そこで、本書で一通り基本問題をマスターし、条文をチェックすることから始めていただきたい。この一冊を完璧にマスターすることは、最小の努力で最大の効果が得られる学習方法であると信ずる。

TAC税理士講座

JN007711

本書の特長

1 基本的事項の確認

所得税の基本的事項を中心とした問題を掲載しています。解答プロセスが十分に理解できるように、参照すべき条文と解答への道を詳しく述べています。

2 制限時間を明示

問題にはすべて標準的な解答時間を制限時間として付しています。制限時間内の解答を目標としてください。

3 最新の改正に対応

最新の税法等の改正等に対応しています。

（令和 6 年 7 月現在の法令通達による）

4 難易度を明示

問題ごとに、難易度を付しています。到達レベルにあわせて問題を選択することができます。

　　Aランク…制度の骨組みを理解するための基本問題

　　Bランク…応用問題を中心としたやや難易度の高い問題

　　Cランク…本試験レベルの難しい問題

5 本試験の出題の傾向と分析を掲載

本試験の出題傾向と分析を掲載しています。学習を進めるにあたって、参考にしてください。

（注）本書掲載の「出題の傾向と分析」は、「2025年度版　所得税法　過去問題集」に掲載されていたものになります。

2025年度版
TAC税理士講座
税理士受験シリーズ

16

所得税法

総合計算問題集 基礎編

TAC出版
TAC PUBLISHING Group

本書の利用方法

1 解答時間を計って解く

解き始めの時間と終了時間を必ずチェックし、解答時間を記録しておきます。時間を意識しないトレーニングは意味がなく、上達も期待できません。ただし、解き慣れていない人は、最初は制限時間を気にしないで自分のペースで最後まで解いてみることをお勧めします。この場合でも解答時間はチェックし、徐々に制限時間内の解答を目指すようにしてください。

2 チェック欄の利用方法

目次には問題ごとにチェック欄を設けてあります。実際に問題を解いた後に、日付、得点、解答時間などを記入することにより、計画的な学習、弱点の発見ができます。

3 間違えた問題はもう一度解く

間違えた問題をそのままにしておくと、後日同じような問題を解いたときに再度間違える可能性が高くなります。そのため、間違えた問題はなぜ間違えたのかを徹底的に分析して、二度と同じ間違いを繰り返さないように対策を考え、少し時期をずらしてもう一度解いて確認してください。

4 答案用紙の利用方法

「答案用紙」は、ダウンロードでもご利用いただけます。Cyber Book Store（TAC出版書籍販売サイト）の「解答用紙ダウンロード」にアクセスしてください。

https://bookstore.tac-school.co.jp

目 次

計算問題について

① 過去の出題内容

出題内容 ＼ 回数	第60回	第61回	第62回	第63回	第64回	第65回	第66回	第67回	第68回	第69回	第70回	第71回	第72回	第73回	第74回
1. 非課税所得							○			○			○	○	○
2. 各種所得の所得分類															
3. 利子所得															
(1) 所得金額の計算			○		○	○	○		○	○	○	○	○	○	
(2) 金融類似商品等の収益						○				○					
4. 配当所得															
(1) 所得金額の計算	○	○	○		○	○	○		○				○		○
(2) みなし配当			○							○	○				
(3) 課税の特例									○			○	○		
(4) 負債の利子			○												
5. 不動産所得															
(1) 所得金額の計算		○	○	○	○		○		○	○	○	○			○
(2) 収入金額					○		○					○	○		○
(3) 必要経費		○		○	○					○					○
(4) 資産損失				○								○	○		
(5) 賃貸住宅の割増償却					○										
(6) 損益通算等の特例		○	○				○				○	○			
(7) 現金基準															
(8) 事業承継										○			○		○
(9) 定期借地権に係る経済的利益					○										
(10) 未分割財産										○			○		
6. 事業所得															
(1) 所得金額の計算	○	○	○	○	○	○		○	○	○	○		○	○	
(2) 収入金額の原則等									○	○	○		○	○	
(3) 収入金額の別段の定め			○			○							○		
(4) 収入・費用帰属時期の特例															
(5) 必要経費の原則・諸通達		○	○			○				○	○		○	○	
(6) 借地権償却															

回数 出題内容	第60回	第61回	第62回	第63回	第64回	第65回	第66回	第67回	第68回	第69回	第70回	第71回	第72回	第73回	第74回
(7) 家事関連費等		○											○	○	
(8) 売上原価						○			○	○	○		○		
(9) 減価償却	○		○	○	○	○			○	○	○		○	○	
(10) 繰延資産									○		○				
(11) 資産損失		○	○		○						○		○		
(12) 引当金										○	○			○	
(13) 同一生計親族が事業から受ける対価	○	○	○	○	○	○			○				○		
(14) 消費税							○		○						
(15) 医 業				○											
(16) 法人成り														○	
(17) 事業承継															
(18) 任意組合の剰余金の分配															
(19) 現金基準															
(20) 新株予約権															
7. 給与所得															
(1) 所得金額の計算	○		○	○		○	○	○	○	○	○			○	○
(2) 特定支出															○
(3) 新株予約権			○		○									○	
8. 退職所得															
(1) 所得金額の計算	○			○	○		○		○			○	○	○	
(2) 退職所得控除額の計算	○			○	○		○		○			○	○		
(3) 特定役員退職手当等				○			○		○					○	
9. 山林所得															
(1) 所得金額の計算				○											
(2) 必要経費				○											
(3) 資産損失															
10. 譲渡所得															
(1) 所得金額の計算		○	○		○		○	○	○	○	○	○	○	○	○
(2) 生活に通常必要でない資産の損失							○								
(3) 借地権等のみなし譲渡															
(4) 無償又は低額による資産の移転		○	○								○	○	○		○
(5) 固定資産の交換															

出題内容 \ 回数	第60回	第61回	第62回	第63回	第64回	第65回	第66回	第67回	第68回	第69回	第70回	第71回	第72回	第73回	第74回
(6) 収用等の特例															
(7) 居住用財産の特例						○		○	○			○	○	○	
(8) 特定事業用資産の買換え等の特例										○	○		○		○
(9) 既成市街地等内の買換え等の特例													○		
(10) 有価証券（株式等）の譲渡	○	○	○	○	○				○	○	○		○	○	
(11) 求償権の行使不能															
(12) 相続税額の取得費加算	○			○								○			○
(13) 配偶者居住権等												○			
11. 一時所得															
(1) 所得金額の計算		○		○				○				○			○
(2) 広告宣伝の賞金品			○												
(3) 生命保険契約等に基づく一時金等	○	○	○	○	○							○			○
(4) 法人からの贈与															
(5) 違約金															
12. 雑所得															
(1) 所得金額の計算						○	○	○	○	○	○	○			
(2) 原稿料				○	○						○				
(3) 公的年金等						○	○	○				○			
(4) 生命保険契約等に基づく年金	○														
(5) 家内労働者等の特例			○												
13. 課税標準															
(1) 所得金額調整控除												○		○	
(2) 損益通算	○	○	○	○	○		○		○				○		○
(3) 純損失の繰越控除															
(4) 雑損失の繰越控除		○													
(5) 上場株式の譲渡損失の繰越控除											○				○
14. 所得控除															
(1) 雑損控除			○		○		○				○				○
(2) 医療費控除	○	○	○	○	○	○		○	○	○	○	○	○	○	
(3) 社会保険料控除	○	○	○	○	○	○	○	○	○	○	○	○	○	○	○
(4) 小規模企業共済等掛金控除	○						○	○				○			
(5) 生命保険料控除	○	○	○	○	○	○	○	○	○	○	○	○	○	○	○
(6) 損害（地震）保険料控除			○	○	○	○	○	○	○	○					○

回　数 出題内容	第60回	第61回	第62回	第63回	第64回	第65回	第66回	第67回	第68回	第69回	第70回	第71回	第72回	第73回	第74回
(7) 寄附金控除			○						○				○		
(8) 障害者控除			○	○	○							○	○		○
(9) 寡婦控除・ひとり親控除															
(10) 勤労学生控除															
(11) 配偶者控除				○	○	○	○	○	○	○	○	○	○	○	○
(12) 配偶者特別控除										○	○				○
(13) 扶養控除		○	○	○	○	○	○	○	○	○	○	○	○	○	○
(14) 基礎控除	○	○	○	○	○	○	○	○	○	○	○	○	○	○	○
15. 税額計算															
(1) 原則等		○	○			○	○	○	○	○	○	○	○	○	○
(2) 平均課税															
(3) 復興特別所得税					○		○	○	○	○	○	○	○	○	○
16. 税額控除															
(1) 配当控除	○	○				○	○		○				○		○
(2) 外国税額控除			○										○		
(3) 住宅借入金等特別控除						○		○		○					○
(4) 政党等寄附金特別控除															
(5) その他の税額控除			○	○	○		○		○	○	○				
17. その他															
非居住者の所得計算														○	
国内源泉所得の範囲															
源泉徴収税額															
確定申告書の要否															

② 過去の出題内容の傾向と分析

イ 出題形式の特徴

所得税の過去の計算問題の出題形式は青色申告者又は白色申告者（過去4回）について、資料を読み取りながら、課税所得金額又は納付税額までの計算をする総合問題形式が中心であったが、近年は、個別計算問題も出題される。

具体的な出題形式としては、損益計算書又は収支計算書などから事業所得の金額の計算を中心に計算過程を示したうえで、納付税額までを求める問題がほとんどであるが、過去の出題を見てみると、予定納税基準額等を計算する形式（第9回）、年末調整の資料から給与所得の金額及び所得控除額を計算（転記）する形式（第20回）、源泉徴収票から給与

所得の金額及び所得控除額を計算（転記）する形式（第37回、71回）といった特殊な形式での出題もされている。また、第48回では初めて個別問題が6題出題され、第50回及び第51回では4年分及び3年分を計算させる問題、第54回、第55回、第56回、第57回、第58回、第59回、第71回では総合問題に個別問題を加えた問題、第60回から第70回までは中規模又は小規模な総合問題が複数題出題されている。いずれの場合においてもかなりの資料が与えられ、それを注意深く読み、正確に処理をすることが要求されるため、対策としては数多くの問題を解き、総合問題に対応する力を養う必要があると思われる。

　また、答案用紙についても、各種所得の金額・課税標準・所得控除額・課税所得金額・納付税額といった項目を計算過程を示した形で求めるオーソドックスな形式がほとんどであるが、不動産所得・事業所得等について青色申告決算書の形式で求めるパターンも何回か出題されており、このようなパターンの場合には答案用紙も問題の一部と考えられるため、注意する必要がある。

　なお、解答に当たっては計算過程を示す必要があるため、できる限り内容を具体的に表現することを心がけてほしい。

ロ　出題範囲の特徴

　計算問題の出題範囲（内容）としては、ほとんどが所得税法、同施行令、租税特別措置法、同施行令の範囲内で出題されているが、所得税法関係通達、租税特別措置法関係通達といった部分についても出題されているため、学習にあたっては法律レベルのみならず、できる限り通達レベルまでの確認をするようにしてほしい。

　また、具体的な項目としては、各種所得の金額に関する項目、特に事業所得に関する出題が最も多くされているが、課税標準・所得控除・税額計算といった項目についての出題もされており、所得税の計算体系を踏まえながら一通りの学習が必要であろう。

　ただし、所得税の学習範囲はかなり広く、また、出題内容も回数によってバラつきがあり、全範囲を学習するのは困難であるため、重要事項つまり出題頻度の高い項目から固めていくのが合理的であるといえる。

　なお、各項目について出題頻度の高い項目あるいは重要と思われる項目は、次のとおりである。

Ⅰ．各種所得の金額

　1．利子所得

　　金融類似商品等の収益との関係がポイントとなるが、平成28年分から、源泉分離課税のほか、申告分離課税、申告不要といった新たな課税方法が追加されたため、学習上注視する必要がある。

　2．配当所得

　　かなりの頻度で出題されており、また出題項目も一般的な所得計算、みなし配当、

課税の特例、負債の利子とまんべんなく出題されているため、一通りの内容の学習が必要であろう。

　特にみなし配当、負債の利子といった項目は株式等に係る譲渡所得等の計算にも関係するため、それを踏まえた上での確認が必要となる。また、課税の特例についても1つのミスが配当控除等にも影響するため細心の注意が必要である。

3．不動産所得

　第30回以降毎年といってもいいほどの出題頻度であるため重要度の高い項目である。特に第39回、第41回、第42回、第44回ではかなりのボリュームで出題されており、今後もこの傾向は続くと考えられるため、収入金額、資産損失といった不動産所得の特徴的な項目を中心に各項目をしっかりと確認してほしい。なお、第69回、第72回では未分割財産と事業承継に関する論点、第71回では国外中古不動産の特例、第74回では賃貸併用住宅の貸付けが出題されている。

4．事業所得

　各種所得の金額の項目としては最も出題頻度の高い項目であり、計算問題の中心的な論点である。特に所得分類、収入金額、必要経費の別段の定めといった論点がさまざまなパターンで出題されているため、基本論点を確認した上で演習問題（過去本試験問題等）での確認が必要であろう。なお、法人成り、事業承継といった特殊論点についての出題もされているため確認をしてほしい。

5．給与所得

　過去の本試験では第20回（年末調整）、第37回・第71回（源泉徴収票）、第46回（役員賞与）、第55回（収入の特殊論点）を除いて特殊なパターンでの出題はされていないため、その形式についての理解をしておけば問題はないと思われる。

6．退職所得

　退職所得控除額の計算が主なポイントであり、第56回、第64回、第68回及び第71回で前年以前4年内に退職している場合の退職所得控除額の計算が出題されている。

　また、第50回、第72回でみなし退職手当等が、第63回、第66回、第68回及び第73回で特定役員退職手当等がそれぞれ出題されている。

7．山林所得

　雑所得となる山林の譲渡が3回（第21回、第25回、第43回）出題され、山林所得となる山林の譲渡が4回（第50回、第52回、第57回、第63回）出題されているが、基本的なパターンを確認しておけば問題はないと思われる。

8．譲渡所得

　かなり出題頻度の高い項目であり、最近の試験においては毎年必ず出題されているため非常に重要度の高い項目である。具体的な内容としては取得費の計算、借地権等のみなし譲渡、課税の繰延べ、特別控除、有価証券の譲渡といった項目を中心に、特

殊なパターンでの出題もされているため、基本論点の確認をした上で、過去の出題パターンの確認が必要である。近年では、第65回において居住用財産の特例の有利判定をさせる問題、第71回において配偶者居住権等を計算させる問題、第72回において複数の特例による有利判定をさせる問題が出題されている。また、有価証券の譲渡については、ほぼ毎年必ず出題されているため、特定口座、損益通算、みなし配当との関係、負債の利子の計算を中心にしっかりと確認してほしい。

9. 一時所得・雑所得

それほど特殊な形式での出題はされていないが、最近の試験において法人からの贈与による所得、生命保険契約等に基づく一時金、年金、金融商品といった項目の出題がされているため、これらの項目についての確認をする必要がある。

Ⅱ. 課税標準

特殊な形式での出題はないが、損益通算の出題頻度が非常に高いので、基本的な計算の流れをしっかり確認しておく必要がある。特に、第42回、第55回、第61回、第70回の試験において出題された不動産所得の損益通算の特例及び第56回、第57回、第62回の試験において出題された居住用財産の損益通算の特例には注意すること。

Ⅲ. 所得控除

寡婦控除、ひとり親控除、勤労学生控除以外はすべて出題されており、一通りの学習が必要であるが、近年の試験における出題頻度の高い項目は次のとおりである。

1. 医療費控除

特に特殊な形式での出題はされていないが、対象となる医療費の範囲がポイントとなるため、その範囲をしっかりと確認すること。

また、スイッチOTCの特例についても注意すること。

2. 社会保険料控除

3. 生命保険料控除・地震保険料控除

地震保険料控除は、平成19年からの適用であり、近年では毎年のように出題されている。生命保険料控除は、特に特殊な形式での出題はされていないため、適用要件、計算パターン等の確認をしておけば問題はないと思われる。

4. 寄附金控除

特殊なパターンでの出題が多いため、過去の出題形式を踏まえた上での確認が必要である。特に第33回、第36回、第42回で出題された資産の贈与をした場合における譲渡所得等との関係と第46回で出題された政党等に寄附をした場合の税額控除との関係は必ず確認すること。

5. 配偶者控除・配偶者特別控除・扶養控除

所得控除のなかでは最も出題頻度の高い項目であり、出題形式としては法56、57の同一生計親族が事業から受ける対価との絡みでの出題が最も多く、各種所得の金額の

計算における取扱いからの一連の流れとしての確認が必要であろう。

Ⅳ．税額計算

分離課税の所得金額に対する税額計算を含めた上での一般的な計算がほとんどであるが、平均課税、みなし法人課税、資産合算といった特殊税額計算も出題されているため、幅広い学習が必要である。ただし、現行法における特殊税額計算は平均課税のみであるため注意してほしい。

Ⅴ．税額控除

配当控除の出題が多いが、外国税額控除、事業所得に関する税額控除、住宅に関する税額控除、寄附金に関する税額控除も出題されているため、確認を忘れないでほしい。

また、有利不利を判定させる寄附金（寄附金控除と税額控除の選択適用）も第46回、第48回及び第69回に出題されている。

Ⅵ．その他

第45回、第50回及び第73回の試験において非居住者の所得計算が出題されているため、課税所得の範囲・課税方法等の確認をしてほしい。

また、第56回の試験において国内源泉所得に該当するか否か、それに伴う源泉徴収税額が出題されており、第57回の試験では確定申告の要否を問う特殊な出題がされている。

第64回では、医業に係る事業所得が出題されている。

凡　例

総合計算問題集で引用する法令については、下記の略称を使用する。

法	………	所得税法
令	………	所得税法施行令
規	………	所得税法施行規則
措　法	………	租税特別措置法
措　令	………	租税特別措置法施行令
措　規	………	租税特別措置法施行規則
国通法	………	国税通則法
基　通	………	所得税法基本通達
個　通	………	個別通達
措　通	………	租税特別措置法関係通達
災免法	………	災害被害者に対する租税の減免、徴収猶予等に関する法律
災免令	………	災害被害者に対する租税の減免、徴収猶予等に関する法律の施行に関する政令
復興財源確保法	………	東日本大震災からの復興のための施策を実施するために必要な財源の確保に関する特別措置法

引　用　例

法2①三十一イ………所得税法第2条第1項第31号イ

基通2－1…………所得税法基本通達2－1

問題編

TAX ACCOUNTANT

問 題 1

　居住者甲（年齢60歳）の令和7年分の所得等の状況は、下記資料のとおりである。これらに基づき、甲の令和7年（以下「本年」という。）における復興特別所得税を含む申告納税額を各種所得の金額、課税標準及び所得控除額等その計算の過程を明らかにして、甲に最も有利になるように計算しなさい。

〔資料Ⅰ〕

　甲は平成16年から物品販売業を営んでいる。これに基づき、甲が作成した損益計算書は次のとおりである。

　なお、甲は税務署長から、青色申告書を提出することにつき、承認を受けていない。

損 益 計 算 書

自令和7年1月1日　至令和7年12月31日　　（単位：円）

年 初 棚 卸 高	4,520,000	売 　 上 　 高	49,875,000
当 年 仕 入 高	33,245,000	年 末 棚 卸 高	3,952,000
営 　 業 　 費	12,000,000	雑 　 収 　 入	4,967,000
当 　 年 　 利 　 益	9,029,000		
	58,794,000		58,794,000

（付記事項）

1．売上高は適正額である。

2．雑収入には次のものが含まれている。

(1) 合同運用信託の収益の分配（税引前）　　　　　　　　107,500円

　　なお、所得税及び復興特別所得税16,463円並びに住民税5,375円が徴収されている。

(2) 剰余金の配当（税引前）　　　　　　　　　　　　　187,500円

　　これは、取引先A社（非上場会社）との取引を開始するにあたり、取得したA株に係るものである。

　　なお、所得税及び復興特別所得税が38,287円徴収されている。

(3) 友人に対する貸付金の利子　　　　　　　　　　　　107,000円

(4) 山林の譲渡対価　　　　　　　　　　　　　　　　3,500,000円

　　これは、平成27年に取得したものである。

3．営業費には次のものが含まれている。

(1) A株式取得に係る負債の利子　　　　　　　　　　　160,000円

(2) 上記2(4)の山林の譲渡に係る経費　　　　　　　　2,950,000円

　　当該山林の植林費、育成費、管理費等の合計2,450,000円及び当該山林の譲渡費用500,000円の合計額である。

4．減価償却資産の償却費は、次に掲げるものを除き、適正額が営業費に含まれている。

なお、甲は旧定額法及び定額法を選定している。

種　　　類	取得年月	取得価額	年初未償却残額	耐用年数	旧定額法及び定額法償却率
店　　舗	H18. 4	22,000,000円	4,922,500円	22年	0.046
備　　品	R 7. 8	1,700,000円	—	5年	0.200

〔資料Ⅱ〕

甲は、前年以前より不動産の貸付けを行っている。これに関する本年分の資料は次のとおりである。

1．家賃収入　　　　　　　　3,500,000円

2．敷金収入　　　　　　　　200,000円

預り金であり、全額返還するものである。

3．減価償却費等の諸経費　　2,835,000円

〔資料Ⅲ〕

甲は、物品販売業を営むかたわら、B社に非常勤役員として勤務していたが、本年3月31日付で同社を退職しており、退職日までに同社から受け取った本年対応の給与等は次のとおりである。

1．給与・賞与（税引前の金額）　　　　3,600,000円

上記金額に係る源泉徴収税額　　　324,600円（復興特別所得税を含む金額）

2．退職金（税引前の金額）　　　　　15,000,000円（役員としての勤続年数20年2カ月）

上記金額に係る源泉徴収税額　　　3,063,000円（復興特別所得税を含む金額）

〔資料Ⅳ〕

甲は本年中に次の資産を譲渡している。

譲渡資産	取得年月	譲渡年月	譲渡対価	取得価額	譲渡費用	備考
別　　　荘	R 3. 4	R 7. 6	3,540,000円	10,000,000円	180,000円	（注）
同上の敷地	R元. 6	R 7. 6	31,000,000円	15,470,000円	1,050,000円	—
書　　　画	H28. 3	R 7.12	950,000円	450,000円	50,000円	—
骨とう品	R 2. 9	R 7. 5	2,000,000円	1,770,000円	95,000円	—

（注）別荘の同種減価償却資産の耐用年数は17年である。

旧定額法償却率………17年　0.058

　　　　　　　　　　25年　0.040

　　　　　　　　　　26年　0.039

〔資料Ⅴ〕

甲は、上記の他、次の収入がある。

1．遺失物拾得の報労金　　　　　　18,000円

2．所得税の還付加算金　　　　　　65,000円

〔資料Ⅵ〕

本年12月に火災により次に掲げる資産に損失を受けた。

対象資産	所有者	直前時価	直後時価	保険金等	関連支出
居住用家屋	甲	7,800,000円	1,500,000円	5,000,000円	30,000円
家　　財	甲	950,000円	—	200,000円	—
宝　　石	甲の妻	200,000円	—	—	—

〔資料Ⅶ〕

甲は、本年中に家計費から次のものを支出している。

1．国民健康保険料（甲及び甲と同一生計の親族に係るもの）　　　　580,000円

2．国民年金の掛金（甲及び甲と同一生計の親族に係るもの）　　　　302,400円

3．心身障害者扶養共済制度に基づく掛金　　　　　　　　　　　　　150,000円

4．保険金受取人を長男とする生命保険料（一般分）　　　　　　　　 85,000円

　　※　平成24年に契約したものである。

5．保険金受取人を甲とする生命保険料（介護医療分）　　　　　　　　9,750円

　　※　平成24年に契約したものである。

6．居住用家屋及び家財を保険目的とする地震保険契約に係る保険料　 52,000円

7．地方公共団体に対する寄附金　　　　　　　　　　　　　　　　　327,000円

〔資料Ⅷ〕

本年12月31日現在、甲と生計を一にし、かつ、同居している親族の状況は次のとおりである。

続柄等	年令	備　　考
妻	59歳	本年中に雑所得の金額450,000円がある。
長　男	25歳	会社員で本年中の給与所得の金額は4,350,000円である。
長　女	19歳	会社員で本年中の給与収入の金額は1,030,000円である。
次　女	15歳	無収入であり、2級の記載がある身体障害者手帳の交付を受けている。
母	86歳	無収入である。

《参考資料》

1．給与所得控除額

収　入　金　額	給　与　所　得　控　除　額
180万円以下	収入金額 × 40% － 10万円（最低55万円）
180万円超　〜　360万円以下	（収入金額 － 180万円）× 30% ＋ 62万円
360万円超　〜　660万円以下	（収入金額 － 360万円）× 20% ＋ 116万円
660万円超　〜　850万円以下	（収入金額 － 660万円）× 10% ＋ 176万円
850万円超	195万円

2．所得税の速算表

課　税　総　所　得　金　額　等	税　率	控　除　額
1,950,000円以下	5 %	－　円
1,950,000円超　〜　3,300,000円以下	10%	97,500円
3,300,000円超　〜　6,950,000円以下	20%	427,500円
6,950,000円超　〜　9,000,000円以下	23%	636,000円
9,000,000円超　〜　18,000,000円以下	33%	1,536,000円
18,000,000円超　〜　40,000,000円以下	40%	2,796,000円
40,000,000円超	45%	4,796,000円

⇨解答：65ページ

問 題 2

　次の資料に基づき、居住者甲（48歳）の令和7年（以下「本年」という。）分の復興特別所得税を含む申告納税額を、計算過程を明らかにして、甲に最も有利になるように計算しなさい。

〔資料1〕

　甲は平成16年から物品販売業を営んでおり、それに関する資料は次のとおりである。

損 益 計 算 書

自令和7年1月1日 至令和7年12月31日　　（単位：円）

年初商品棚卸高	3,350,000	当 年 売 上 高	44,800,000
当 年 仕 入 高	32,150,000	年末商品棚卸高	3,590,000
営 業 費	13,801,039	雑 収 入	8,090,000
当 年 利 益	7,178,961		
	56,480,000		56,480,000

（付記事項）

1．甲は青色申告書を提出することにつき所轄税務署長の承認を受けており、正規の簿記の原則に従って、所得の金額に係る取引の一切の内容を詳細に記録し、電子申告を行う予定である。

　　なお、棚卸資産の評価方法及び減価償却資産の償却方法については、何らの届出もしていない。

2．本年5月に商品（通常の販売価額は220,000円、仕入価額は180,000円）を友人に贈与しているが、未処理である。

3．雑収入には、次のものが含まれている。

　(1)　事業の遂行上生じた取引先に対する貸付金の利子　　　　　80,000円

　(2)　従業員宿舎の使用料収入　　　　　　　　　　　　　　　220,000円

　(3)　備品Xの譲渡　　　　　　　　　　　　　　　　　　　　45,000円

　　　これは、令和5年に98,000円で取得した備品を本年8月に譲渡したものである。

　　　なお、この備品は甲の営む業務の性質上基本的に重要な資産に該当するが、反復継続して譲渡するものではない。

　(4)　国庫補助金　　　　　　　　　　　　　　　　　　　　300,000円

　　　これは、本年5月に営業用車両を取得する際に地方公共団体から交付を受けたものである。

　　　なお、この補助金は本年末現在返還不要が確定している。

4．年末商品棚卸高は、手許商品につき最終仕入原価法に基づく原価法により評価した金額である。

なお、この中には、過剰生産により価額が低下したものが原価にして200,000円含まれており、低下した後の価額は180,000円である。

5．営業費には、次のものが含まれている。

(1) 固定資産税 　　　　　　　　　　　　　　　　　315,000円

これは、甲が所有する事業用固定資産につき、本年中に納期が到来している第1期分から第3期分までの合計額を計上したものである。

なお、第4期分の105,000円は翌年2月に納付する予定である。

また、前年分の固定資産税の第4期分108,000円は本年2月に納付しているため、前年分の事業所得の必要経費には算入していない。

(2) 家事関連費 　　　　　　　　　　　　　　　　　150,000円

(3) 海外渡航費 　　　　　　　　　　　　　　　　　350,000円

これは、従業員が商談のため海外へ渡航をした際にかかった費用である。

なお、上記金額は往復の旅費150,000円と滞在費200,000円との合計額であるが、従業員は5日間の日程のうち1日間を観光に充てている。

(4) 利子税 　　　　　　　　　　　　　　　　　　　6,500円

これは、前年分の所得税に係る確定申告税額の延納をしたことにより支出したものである。

なお、前年分の各種所得の金額は次のとおりである。

① 配当所得 　　　　　　　200,000円

② 事業所得 　　　　　　18,000,000円

③ 譲渡所得（総合短期） 　800,000円

④ 一時所得 　　　　　　△250,000円

(5) アーケード建設の負担金 　　　　　　　　　　　300,000円

これは、甲の所属する商店会が、アーケード（耐用年数10年）を建設することに伴い本年7月に甲が負担した金額である。

なお、このアーケードの建設工事は本年8月から行われている。

(6) 倉庫の取得に係る諸経費 　　　　　　　　　　　380,000円

これは、本年5月に取得し事業の用に供した倉庫の取得に際し支出した金額の合計であり、その内訳は次のとおりである。

① 不動産取得税 　　　80,000円

② 登録免許税 　　　　45,000円

③ 借入金利子 　　　115,000円

（本年分に係るもので、使用開始前の期間に係るもの35,000円、使用開始以後の期間に係るもの80,000円である。）

④　仲介手数料　　　140,000円

(7)　民事裁判に係る費用　　　　　　　　　　　　　　　　　　150,000円

　　　これは、店舗の看板が強風により落下し、通行人に怪我をさせたため、通行人との間で慰謝料を巡る裁判となったことに伴い、支出したものである。

　　　なお、この事故については、甲に故意又は重大な過失はなかったと認められる。

6．営業費には次の資産に係る減価償却費が計上されていない。

種　類	取　得　価　額	年初未償却残額	事業供用年月	耐用年数	償　却　率		備　考
					旧定額	定　額	
店　舗	20,000,000円	8,930,000円	平成16年7月	34年	0.030	0.030	―
倉　庫	8,000,000円	―	令和7年5月	24年	0.042	0.042	（注1）
車　両	2,000,000円	―	令和7年6月	6年	0.166	0.167	（注2）
備品Z	500,000円	―	令和7年11月	6年	0.166	0.167	（注3）

（注1）上記5(6)の諸経費を支出している。

（注2）上記3(4)の補助金により取得している。

（注3）令和2年1月に取得し、家事用として使用してきたものを本年11月に事業の用に供したものである。（法定耐用年数9年の償却率……旧定額法0.111、定額法0.112）

〔資料2〕

　甲は本年5月にアパートを取得し、直ちに貸し付けており、これに関する資料は、次のとおりである。

　なお、甲のアパートの賃貸状況は、事業的規模に至らない程度のものである。

1．総収入金額

(1)　家賃収入　　　3,387,534円

(2)　礼金収入　　　920,000円

2．管理費等　　　1,380,000円

　　　これは、アパートの貸付けに係る管理費等である。

　　　なお、この中にはアパート取得に係る借入金の利子450,000円（うち、使用開始前の期間に係るものは150,000円である。）が含まれている。

3．その他の事項

　　　上記2の管理費にはアパートの減価償却費が含まれていない。

　　　なお、アパートの取得対価は24,000,000円で、耐用年数は47年（定額法償却率0.022、旧定額法償却率0.022）である。

〔資料3〕

上記の他、甲は本年中に次の収入等がある。

1．C非上場株式の剰余金の配当（税引前の金額）　　　　　　　156,250円

　　なお、C株式を取得するための負債の利子が67,500円（本年対応分）ある。また、所得税及

び復興特別所得税が31,906円徴収されている。

2．社債の利子（税引前の金額）　　　　　　　　　　　　　　　134,375円

　　これは、特定公社債に該当しないものである。

　　なお、所得税及び復興特別所得税20,579円及び住民税6,718円が徴収されている。

3．事業用動産の譲渡に係る譲渡損（総合短期となるもの）　　　△495,000円

　　なお、この資産に係る減価償却費は適正額が〔資料1〕の損益計算書上の営業費に含まれている。

4．競馬の馬券の払戻金（雑所得には該当しない。）　　　　　　770,000円

　　これに係る馬券の購入代金は50,000円である。

〔資料4〕

甲は本年5月の火災により次の資産に損害を受けている。

対象資産	所有者	直前時価	直後時価	保険金等
居住用家屋	甲	9,250,000円	5,450,000円	4,000,000円
衣類	甲の妻	1,230,000円	—	200,000円

なお、居住用家屋については、災害関連支出50,000円を支出している。

〔資料5〕

上記の他、甲は本年中に次のような支出があった。

1．社会保険料（甲及び甲と同一生計親族に係るもの）　　　　　500,000円

2．甲の妻に係る歯の治療費　　　　　　　　　　　　　　　　　150,000円

3．長男に係る入院費　　　　　　　　　　　　　　　　　　　　440,000円

　　この入院については、保険金400,000円の支給を受けている。

4．地震保険料　　　　　　　　　　　　　　　　　　　　　　　62,000円

　（注）居住用家屋に係るものである。

5．D市に対する寄附金　　　　　　　　　　　　　　　　　　　77,000円

〔資料6〕

本年末現在、甲と同居し、かつ、同一生計の親族の状況は次のとおりである。

　　　妻（44歳）　　　給与収入1,000,000円がある。

　　長　男（22歳）　　無収入。大学生である。

　　甲の母（72歳）　　無収入。常に就床を要し、複雑な介護を要する状況である。

《参考資料》

1．給与所得控除額

収　入　金　額	給　与　所　得　控　除　額
180万円以下	収入金額 × 40% － 10万円（最低55万円）
180万円超　～　360万円以下	（収入金額 － 180万円）× 30% ＋ 62万円
360万円超　～　660万円以下	（収入金額 － 360万円）× 20% ＋ 116万円
660万円超　～　850万円以下	（収入金額 － 660万円）× 10% ＋ 176万円
850万円超	195万円

2．所得税の速算表

課　税　総　所　得　金　額　等	税　率	控　除　額
1,950,000円以下	5 %	－ 円
1,950,000円超　～　3,300,000円以下	10%	97,500円
3,300,000円超　～　6,950,000円以下	20%	427,500円
6,950,000円超　～　9,000,000円以下	23%	636,000円
9,000,000円超　～　18,000,000円以下	33%	1,536,000円
18,000,000円超　～　40,000,000円以下	40%	2,796,000円
40,000,000円超	45%	4,796,000円

問題2

問題

問題3

居住者甲の令和7年（以下「本年」という。）分の所得税の計算に関する資料は下記のとおりである。

これに基づき、甲の本年分の所得税及び復興特別所得税に係る申告納税額を各種所得の金額、課税標準等、その計算の過程を明らかにして、甲に最も有利になるように計算しなさい。

〔資料1〕

甲は従来より不動産の貸付けを事業的規模により行っており、開業時より青色申告書の提出につき納税地の所轄税務署長の承認を受け、取引の一切の内容を正規の簿記の原則に従って詳細に記録等し、電子申告を行う予定である。なお、前受・未収等の経理は行っていない。

本年分の不動産の貸付けに関する資料は、以下のとおりである。

損 益 計 算 書

自令和7年1月1日　至令和7年12月31日　（単位：円）

管 理 費	6,649,000	賃 貸 料 収 入	34,850,000
当 年 利 益	28,771,000	敷 金 収 入	450,000
		更 新 料 収 入	120,000
	35,420,000		35,420,000

（付記事項）

1．甲は今までに減価償却資産の償却方法については、選定、届出していない。

2．賃貸料収入には、次の金額が含まれている。なお、すべて翌月分の賃貸料を当月末までに受ける契約となっている。

(1) 賃借人Aに対するもの　　　　　210,000円（11月分から翌年1月分）

Aは、前年8月に賃貸借契約の義務違反があったため、前年8月末をもって賃貸借契約の解除を申し出ていたが、Aがこれを拒否したため、係争中となっていた。

この係争については、本年10月末に和解が成立しており、その内容は次のとおりであるが、これについては未処理である。

① Aは甲に対し、係争期間中の賃貸料980,000円（1月あたり70,000円）及び損害賠償金60,000円を支払う。

② 甲はAに対し、引き続き貸付けを行う。

(2) 賃借人Bに対するもの　　　　　1,030,000円（2月分から6月分まで400,000円及び7月分から翌年1月分まで630,000円）

甲は前年2月にBに対して、前年3月分からの賃貸料の値上げ（1月あたり80,000円を

100,000円に値上げ）を打診したところ、Bがこれを拒否したため、係争中となっており、Bはその間旧賃貸料を供託していた。

　　この係争については、本年6月末に和解が成立しており、その内容は次のとおりであるが、これについては未処理である。

　① 新賃貸料は1月あたり90,000円とし、前年3月分の賃貸料より適用する。

　② 甲はBに対し、引き続き貸付けを行う。

(3) 賃借人Cに対するもの　　　　　　800,000円（2月分から11月分、1月あたり80,000円）

　　Cは、本年12月分及び翌年1月分の賃貸料が未払いであるため、上記損益計算書に未計上である。

(4) 甲の叔父に対するもの　　　　　　600,000円（2月分から翌年1月分）

　　これは、甲の別生計親族である叔父に対して貸付けた土地に係るものであり、叔父はこの土地の上に店舗を建てて小売業を営んでいる。

　　なお、この貸し付けた土地に係る固定資産税350,000円は管理費に含まれている。

3．敷金収入は本年の不動産の貸付けの際に受けたもので、明け渡しの時期に関係なく、敷金の40％を償却し、60％を返還する契約となっている。

4．更新料収入は、翌年1月末に契約の更新を迎える賃借人から本年末に受けたものである。

5．管理費には、次の金額が含まれている。

(1) 不動産取得税及び登録免許税　　　420,000円

　　これは、本年1月に建設し、直ちに貸付けの用に供したアパートに係るものである。

　　なお、このアパートの敷地は甲の母の所有であるが、甲は無償で借り受けている。この敷地について通常支払うべき賃貸料は1年あたり360,000円である。

　　また、この敷地に係る固定資産税250,000円は甲の母が負担している。

(2) 弁護士費用　　　　　　　　　　　220,000円

　　付記事項2(1)及び(2)の係争の解決のために依頼した弁護士に係るものである。

(3) 青色事業専従者給与　　　　　　　1,800,000円

　　甲の不動産所得を営む事業に従事している長男に対して支出したものである。

　　なお、上記の金額は「青色事業専従者給与に関する届出書」に記載されている金額の範囲内の金額であるが、労務の対価として相当な金額は1,500,000円と認められる。

(4) 原状回復費用　　　　　　　　　　2,499,000円

　　甲が所有するマンションの一部が火災により焼失したため、その原状回復費用として支出したものである。（付記事項6参照）

6．本年9月に甲が所有するマンションの一部が火災により焼失したが、甲は原状回復費用を管理費とした他は何らの処理も行っていない。

　　なお、この損害に関する資料は次のとおりである。

(1)　一部焼失したマンションの取得価額　　25,000,000円（平成28年1月に取得、耐用年数47年）

(2)　本年初の未償却残額　　　　　　　　　20,050,000円

(3)　損失発生直後の時価　　　　　　　　　12,000,000円

(4)　取得した保険金　　　　　　　　　　　2,000,000円

(5)　修理完了日　　　　　　　　　　　　　10月2日（直ちに事業の用に供している）

7．管理費には次の資産の減価償却費が計上されていない。

(1)　付記事項5(1)のアパート（20,000,000円で建設、耐用年数22年）

(2)　付記事項6のマンション（上記参照）

〔資料2〕

本年において、甲が所有する山林について次の事実があった。

なお、甲は、山林所得に係る業務を、事業と称するには至らない程度の規模により営んでいる。

1．山林Dは、本年8月に8,000,000円で譲渡している。

　　この山林Dは、平成12年に1,200,000円で取得し、その後譲渡まで2,300,000円の管理育成費を支出している。また、譲渡時に譲渡費用400,000円を支出している。

2．山林Eは、本年2月の火災により焼失している。この山林は令和3年に1,800,000円で取得し、その後焼失まで700,000円の管理育成費を支出している。

　　なお、この焼失については、損害保険金1,000,000円を受け取っている。

〔資料3〕

甲は本年中に次の資産を譲渡している。

譲 渡 資 産	取得年月	譲渡年月	譲 渡 対 価	取 得 費	譲 渡 費 用	備　考
家庭用冷蔵庫	H29.3	R7.12	42,000円	55,000円	────	────
山林の敷地	H24.9	R7.8	22,500,000円	（注1）	1,750,000円	（注1）
別荘の敷地	H19.12	R7.8	15,200,000円	18,150,000円	450,000円	（注2）
宝　　　石	R3.1	R7.10	750,000円	800,000円	65,000円	（注3）
特　許　権	R7.2	R7.3	4,885,000円	3,500,000円	110,000円	（注4）

（注1）上記資料2の山林Dと共に譲渡したものである。この敷地は平成24年に祖父からの相続（単純承認）により取得したもので、祖父は昭和43年に650,000円で取得している。

（注2）本年8月にF法人に対して譲渡したものであり、譲渡時の時価は31,000,000円である。

　　　　なお、譲渡するにあたり甲が所有していた別荘（時価2,500,000円、取得費相当額2,800,000円）を、取壊費用150,000円をかけて取り壊している。

（注3）令和3年1月に甲の叔父から800,000円（叔父は平成22年に600,000円で取得）で譲り受けたものを、本年10月に友人に750,000円で譲渡したものである。

　　　　なお、この宝石の時価は次のとおりである。

　　　　令和3年1月　…　2,000,000円

令和 7 年10月 … 2,050,000円

（注 4 ）甲の友人から購入したものを、G法人に譲渡したものである。なお、上記表中の取得
費の中には、特許権の登録に要した費用200,000円が含まれている。

〔資料 4 〕

甲は、本年中に次の配当金を受けている。

なお、申告不要の適用を受けられるものについては、その適用を受けることとする。

銘 柄	上 場	権利確定月	支払月	計算期間	配 当 金	源泉徴収税額	備 考
H 株	上場	本年 3 月	本年 6 月	1 年	175,000円	所得税26,801円 住民税 8,750円	記名式
I 株	非上場	本年 3 月	本年 6 月	6 月	120,000円	所得税24,504円	記名式
		本年 9 月	本年12月	6 月	40,000円	所得税 8,168円	
J 株	非上場	本年12月	翌年 2 月	1 年	140,000円	所得税28,588円	無記名式
K 株	非上場	本年11月	翌年 1 月	3 月	45,000円	所得税 9,189円	記名式

※ 1 配当金は、すべて源泉徴収税額（住民税を含む。）控除前の金額である。

※ 2 持株割合が 3 ％以上の株式はない。

※ 3 K株式取得のための借入金に係る利子35,000円（本年対応分）を支払っている。

※ 4 所得税は復興特別所得税を含む金額である。

〔資料 5 〕

1 ．甲は本年中に家計費から次のものを支出している。

(1) 甲及び同一生計親族に係る医療費　　　　　　　　2,150,000円

(2) 甲及び同一生計親族に係る社会保険料　　　　　　962,000円

(3) 地震保険料　　　　　　　　　　　　　　　　　　65,000円

　　甲の居住用家屋及び家財を保険目的とするものである。

2 ．甲は本年 8 月に甲の所有するM土地を国に寄附している。

　　このM土地は、平成24年 5 月に取得したものである。寄附時の時価は4,200,000円、取得費
は2,507,000円であり、この寄附にあたり150,000円の費用を支出している。

〔資料 6 〕

本年末現在、甲及び甲と同居し生計を一にする親族の所得の状況は次のとおりである。

　　　甲　　（55歳）　上記のとおりである。

　甲 の 妻（52歳）　本年中にパートによる給与収入 1,030,000円がある。

　甲の長男（27歳）　甲から1,800,000円の給与を受け取っている。〔資料 1 〕付記事項 5 (3)参照）

　甲 の 父（82歳）　所得はない。

　甲 の 母（81歳）　特別障害者であり、所得はない。

《参考資料》

1．減価償却資産の償却率

法定耐用年数	旧定額法の償却率	定額法の償却率
22年	0.046	0.046
47年	0.022	0.022

2．給与所得控除額

収　入　金　額	給　与　所　得　控　除　額
180万円以下	収入金額 × 40％ － 10万円（最低55万円）
180万円超　～　360万円以下	（収入金額 － 180万円）× 30％ ＋ 62万円
360万円超　～　660万円以下	（収入金額 － 360万円）× 20％ ＋ 116万円
660万円超　～　850万円以下	（収入金額 － 660万円）× 10％ ＋ 176万円
850万円超	195万円

3．所得税の速算表

課　税　総　所　得　金　額　等		税　率	控　除　額
	1,950,000円以下	5 ％	－ 円
1,950,000円超	3,300,000円以下	10％	97,500円
3,300,000円超	6,950,000円以下	20％	427,500円
6,950,000円超	9,000,000円以下	23％	636,000円
9,000,000円超	18,000,000円以下	33％	1,536,000円
18,000,000円超	40,000,000円以下	40％	2,796,000円
40,000,000円超		45％	4,796,000円

⇨解答：89ページ

問 題 4

　居住者甲の令和7年（以下「本年」という。）分の所得税の計算に関する事項は下記のとおりである。

　下記の資料に基づき、甲の本年分の復興特別所得税を含む申告納税額を各種所得の金額及び課税標準等の計算の過程を明らかにし、甲に最も有利になるように計算しなさい。

〔資料Ⅰ〕

　甲は物品販売業を営んでおり、これに関する資料は次のとおりである。

損 益 計 算 書

自本年1月1日　至本年12月31日　　（単位：円）

年初商品棚卸高	8,000,000	売　　上　　高	70,500,000
仕　　　　　入	44,700,000	年末商品棚卸高	7,000,000
営　　業　　費	19,482,550	雑　　収　　入	9,500,000
当　年　利　益	16,417,450	貸倒引当金戻入	1,600,000
	88,600,000		88,600,000

（付記事項）

1．甲は青色申告書の提出の承認を10年前から受けており、所得の金額に係る一切の取引の内容を詳細に記録等し、電子申告を行う予定である。また、棚卸資産の評価方法は先入先出法による原価法を選定していたが、本年2月21日に先入先出法による低価法に変更する旨の申請書を提出した。

　　なお、これについて本年末現在税務署長からは何らの処分も受けていない。

2．減価償却方法の選定、届出は行っていない。

3．売上高には商品の家事消費高280,000円が含まれている。

　　これは通常の販売価額を計上したものであるが、この商品の仕入価額は200,000円である。

4．年末商品棚卸高は先入先出法による原価法による評価額であるが、これを時価で評価すると6,500,000円である。

5．雑収入は適正額である。

6．営業費の中には、次のものが含まれている。

(1) 給　　与　　　　　　　　　　　　　　　　　　　　9,700,000円

　　　給与の内訳は次のとおりである。

　　① 長男の給与（1月分～12月分）　　　　　　　　　2,200,000円

　　② 長女の給与（1月分～7月分）　　　　　　　　　1,000,000円

③ 長女の退職金　　　　　　　　　　　　　　　　　500,000円

④ 従業員の給与（1月分～12月分）　　　　　　　　6,000,000円

（注）青色事業専従者である長男及び長女の給与は「青色事業専従者給与に関する届出書」に
記載した金額の範囲内で、労務の対価として相当と認められるものである。また、長女の
退職金は他の従業員に対する要支給額等に照らし相当額であると認められる。

なお、長女は本年8月に他家へ嫁いでいる。

(2) 同業者団体の加入金等（本年10月に支出）　　　　1,500,000円

これは、同業者団体に加入する際に支出した加入金500,000円と当該団体が本来の用に供
する会館（耐用年数50年）を建設するための負担金1,000,000円との合計額である。

なお、会館の建設は本年8月に着手している。

7．本年末現在の事業上の債権に関する事項は次のとおりである。

なお、貸倒損失及び貸倒引当金に関する処理はされていない。

売　掛　金　　　　5,600,000円

受取手形　　　13,500,000円

貸　付　金　　　　2,500,000円……すべて取引先に対するものである。

（注1）売掛金のうち1,800,000円、受取手形のうち1,200,000円は取引先乙社に対するもので
あるが、乙社は本年中に債権者集会を開催し、その協議により、各債権者は同社に対す
る債権額の3分の1相当額を切捨て、残額について同社から令和10年7月1日を第1回
として毎年7月1日に10回の年賦弁済を受けることが決定した。

（注2）受取手形のうち2,600,000円は得意先丙商店に対するものである。同商店は本年中に
手形交換所において取引停止処分を受けている。

〔資料Ⅱ〕

甲は物品販売業の他、従来より事業と称するに至らない程度の規模で不動産の貸付けを行って
おり、この不動産の貸付けにつき甲が作成した本年分の損益計算書は次のとおりである。

損 益 計 算 書

自本年1月1日　至本年12月31日　　（単位：円）

諸　経　費	3,150,000	家 賃 収 入	5,120,000
当 年 利 益	3,890,000	礼金・敷金収入	1,920,000
	7,040,000		7,040,000

（付記事項）

1．家賃収入5,120,000円はマンション（8室）の貸付けによるものである。

このマンションは、下記のアパートを取壊した後の敷地に、本年3月に42,000,000円（耐用
年数38年、定額法償却率0.027）で建設したもので、同月より賃貸の用に供している。

なお、家賃収入には、借家人Aに係るもの160,000円（月額80,000円）が含まれている。これは、借家人Aが契約義務違反をしたことから、甲が本年10月に、11月末日をもって賃貸借契約を解除する旨を申し出たところ、Aがこれを拒否し、12月分以後の家賃を供託したことに伴い、供託通知書が郵送されてきたため、これを計上したものであるが、Aとは本年末現在係争中である。

2．アパート（6室）は、甲が平成18年に建設したもので、これまで修繕を繰り返して使用してきたが、老朽化が著しいため、本年1月に取壊している。

　なお、このアパートの取壊し時の未償却残額は2,321,000円、取壊費用は800,000円であり、取壊しの際、借家人に対し立退料720,000円を支払っているが、アパートの償却費を諸経費に計上した以外は未処理となっている。

3．諸経費3,150,000円は、上記2の資料に係るもの及びマンションの償却費を除き、適正額が計上されている。

4．敷金・礼金収入1,920,000円は、本年3月より賃貸を開始した上記1のマンションに係る敷金640,000円（退出時にその20%を償却し、残額は明渡時に返還する契約となっている。）と礼金1,280,000円の合計額である。

5．上記の他、前年分の未収家賃230,000円が本年回収不能となっているが、これについては未処理となっている。

6．家賃はすべて翌月分を当月末までに受け取る契約で、前受・未収の経理はしていない。

〔資料Ⅲ〕

　甲は本年中に次の資産を譲渡している。

種　類	取得年月	譲渡年月	譲渡対価	取得価額	譲渡費用	備　考
宝　石	R3年8月	本年2月	2,500,000円	——	10,000円	（注1）
絵　画	H13年4月	本年5月	200,000円	400,000円	——	（注2）
B土地	H15年8月	本年10月	25,000,000円	12,000,000円	150,000円	（注3）
C土地	R3年10月	本年3月	29,200,000円	——	1,140,000円	（注4）

（注1）これは、令和3年8月に兄から贈与により取得したものであり、贈与時の時価は1,700,000円であった。なお、兄はこの宝石を平成10年8月に1,500,000円で取得している。

（注2）絵画の譲渡時の時価は250,000円である。

（注3）これは、本年10月に丁株式会社に譲渡したものであるが、B土地の譲渡時における時価は57,000,000円であった。

（注4）C土地は、甲の父が令和3年に死亡したことにより、相続（単純承認）したものである。

問題
4

問題

なお、甲の父はこのC土地を昭和41年に取得したが取得価額は不明である。

また、甲が相続した時の相続税額等は次のとおりである。

甲が納付した相続税額	1,500,000円
相 続 税 の 課 税 価 格	59,000,000円（債務控除額1,000,000円控除後、生前贈与加算額500,000円加算後の金額）
C土地の相続税評価額	30,000,000円

〔資料Ⅳ〕

甲は上記以外に本年中に次の収入があった。

1．E株式（非上場株式）譲渡収入　　　　　　　　　　　　　　　4,050,000円

E株式は平成28年6月に3,600,000円で取得したものである。この譲渡に際しては証券会社に譲渡手数料50,000円を支出しており、譲渡収入は事業所得又は雑所得に該当するものではない。

なお、本年中にE株式に係る配当収入250,000円（所得税及び復興特別所得税51,050円控除前の金額）を受けている。

2．生命保険契約に基づく一時金　　　　　　　　　　　　　　　700,000円

甲がこの生命保険契約に基づいて支払った保険料の総額（支出した金額）は400,000円である。

〔資料Ⅴ〕

1．甲は本年中に盗難により次の被害を受けている。

資　　　産	所有者	取得費相当額	被害直前の時価
現　　　金	甲	650,000円	650,000円
骨 と う 品	甲	600,000円	500,000円
衣　　　服	甲の妻	400,000円	250,000円

2．本年中に甲が支出した社会保険料は759,800円である。

〔資料Ⅵ〕

本年12月31日現在甲と生計を一にし、同居している親族は次のとおりである。

続柄等	年　齢	備　　　　　考
妻	58歳	保有期間6年の書画の売却益1,400,000円がある。
長　男	25歳	〔資料Ⅰ〕付記事項6(1)参照
次　男	20歳	所得なし　一般障害者に該当
母	86歳	所得なし　特別障害者に該当

所得税の速算表

課 税 総 所 得 金 額 等		税　率	控　除　額
	1,950,000円以下	5 %	－ 　円
1,950,000円超	3,300,000円以下	10%	97,500円
3,300,000円超	6,950,000円以下	20%	427,500円
6,950,000円超	9,000,000円以下	23%	636,000円
9,000,000円超	18,000,000円以下	33%	1,536,000円
18,000,000円超	40,000,000円以下	40%	2,796,000円
40,000,000円超		45%	4,796,000円

⇨解答：101ページ

問題
4

問
題

　物品販売業を営む居住者甲（年齢68歳、以下「甲」という。）の令和7年分の所得税の計算に関する事項は、次のとおりである。これに基づき、甲の令和7年（以下「本年」という。）分の確定申告により納付すべき所得税及び復興特別所得税の額を、各種所得の金額、課税標準等の計算の過程を明らかにして、甲の所得税の額が最も少なくなるように計算しなさい。

　なお、甲は消費税の経理処理については税込経理方式を採用している。

〔資料Ⅰ〕

　甲が作成した本年分の物品販売業に関する損益計算書は、次のとおりである。

損 益 計 算 書

自本年1月1日　至本年12月31日　　　（単位：円）

年 初 棚 卸 高	5,400,000	売　　上　　高	83,900,000
仕　　入　　高	63,210,000	年 末 棚 卸 高	6,700,000
営　　業　　費	13,058,490	雑　　収　　入	8,900,000
当　年　利　益	18,271,510	貸倒引当金戻入	440,000
	99,940,000		99,940,000

（付記事項）

1．甲は、平成25年以後引き続き青色申告書の提出の承認を受けている。

2．甲は、業務（〔資料Ⅱ〕の不動産の貸付けを含む。）について簡易帳簿により記帳している。

3．売上高には、次のものが含まれている。

　(1)　友人Aに対する商品の販売高　　　　　　　　　　660,000円

　　　上記商品の通常の販売価額は840,000円であり、その仕入価額は672,000円である。

　(2)　バーゲンセールによる商品の販売高　　　　　　4,750,000円

　　　上記バーゲンセールは毎年年末に行われる在庫一掃処分によるもので、販売した商品の通常の販売価額の総額は9,600,000円、その仕入価額の総額は5,360,000円である。

4．雑収入には、次のものが含まれている。

　(1)　店舗で使用していた陳列棚の売却代金　　　　　　11,000円

　　　この陳列棚は、令和3年7月に65,000円で取得したもので、少額重要資産には該当しない。

　(2)　店舗に係る長期損害保険契約の満期返戻金　　　5,439,000円

　　　この長期損害保険契約は、本年1月に満期をむかえたものである。

　　　なお、これまでに支出した積立保険料は2,850,000円である。

5．営業費には、次のものが含まれている。

(1) 家事関連費　　　　　　　　　　　　　　　162,000円

(2) 借入金の利子　　　　　　　　　　　　　　132,700円

　　これは本年11月に取得した倉庫に係るものであり、事業供用日前の期間に係る金額が79,600円含まれている。

(3) 消費税　　　　　　　　　　　　　　　　　462,000円

　　これは本年3月に申告した令和6年分の消費税の納付額で、令和6年分の事業所得の金額の計算上必要経費に算入しなかったものである。

(4) 利子税　　　　　　　　　　　　　　　　　26,900円

　　これは令和6年分の確定申告税額の延納に伴い支出したものであり、同年分の所得の状況は次のとおりである。

①　配当所得の金額　　△ 156,000円　　　④　譲渡所得の金額　　62,000,000円（分離短期）

②　不動産所得の金額　24,500,000円　　　　※収用等の5,000万円特別控除を受けている。

③　事業所得の金額　　9,500,000円　　　⑤　雑所得の金額　　　226,000円

(5) 長男に対する青色事業専従者給与　　　　　3,800,000円

　　これは「青色事業専従者給与に関する届出書」に記載された金額の範囲内で、かつ、労務の対価として相当な額である。なお、長男は物品販売業以外には従事していない。

6．甲は、棚卸資産の評価方法についてはいままで何ら届け出をしていなかったため、最終仕入原価法に基づく原価法で評価してきたが、本年分からは総平均法に基づく低価法に変更したいと考え、本年分の確定申告書と同時に変更申請書を提出するつもりである。

　　なお、損益計算書における年末棚卸高は、最終仕入原価法に基づく原価法により評価した金額であるが、これを総平均法に基づく低価法により評価すると6,250,000円である。

問題5

問題

7．減価償却費（甲はすべての減価償却資産につき、旧定率法又は定率法を選定している。）は、次に掲げる資産に係るものを除き、適正額が営業費に含まれている。

種　　　　　類	事業供用年月	取　得　価　額	年初未償却残額	法定耐用年数	備　考　欄
店　　　　　舗	平成18年5月	9,300,000円	5,706,480円	45年	
倉　　　　　庫	本年11月	7,500,000円	——	36年	5.(2)参照
器　具　備　品　C	本年4月	420,000円	——	6年	
器　具　備　品　D	本年10月	810,000円	——	6年	

8．本年12月31日における事業上の債権は6,850,000円であり、損益計算書の貸倒引当金戻入は、前年に繰入れた適正額である。

　　なお、事業上の債権のうちE商店に対する貸付金60,000円は、支払いの督促をしているにもかかわらず弁済してくれない。この取立には旅費等が80,000円程度かかる。

〔資料Ⅱ〕

　　甲は令和4年7月に自己所有の土地の上に5階建ての共同家屋（25世帯）を新築し、以後賃貸住宅として貸付けている。

　　また、本年10月にはF㈱との間で借地権契約を結び、以後土地を貸付けている。

　　これらに関する収支明細の内訳は次のとおりである。

収　支　明　細　書

自本年1月1日　至本年12月31日　　　　　（単位：円）

借入金（元金）	4,800,000	家　賃　収　入	53,650,000
借入金利子	7,143,193	権利金収入	20,400,000
諸　経　費	9,640,000	地　代　収　入	700,000

（付記事項）

1．家賃収入は25世帯の本年2月から令和8年1月までのもの（適正額）で、賃貸借契約はその月分を前月末日までに収入するいわゆる前家賃制を採用している。

2．権利金収入は、F㈱が支店を建設するために同㈱と本年10月に締結した借地権契約（30年）により受けたもので、この契約内容等は次のとおりである。

(1) 甲に対してF㈱は土地の時価に対する借地権の占める割合（60％）に見合う権利金を支払う。

(2) 地代は10月から月々175,000円（前地代制を採用する。）とする。

(3) 底地価額　　　　13,600,000円

(4) 設定対象となった土地の取得時期　　　　令和2年9月

(5) 設定対象となった土地の取得価額　　　　24,800,000円

3．借入金（元金）は共同家屋の建物建築代金の本年分の返済額で、借入金利子はこの借入金から生じたもので本年分の適正額である。

4．共同家屋は令和4年に取得したもので、鉄骨鉄筋コンクリート造（取得価額120,000,000円、年初未償却残額114,000,000円）で、法定耐用年数50年のものである。

   なお、この共同家屋の減価償却費は下記5の諸経費には含まれていない。

5．諸経費には、借地権契約につきY不動産業者に支払った仲介手数料1,650,000円及び共同家屋の管理手数料4,275,000円が含まれている。

6．不動産の貸付けは事業として行われている。

〔資料Ⅲ〕

   甲は上記の他、本年中に次の資産を譲渡している。

種　　類	取得年月	譲渡年月	譲渡対価	取得価額	譲渡費用	備考欄
G　別　荘	令和3年7月	本年9月	3,000,000円	6,200,000円	590,000円	（注1）
G別荘の敷地	令和3年7月	本年9月	42,000,000円	28,200,000円	4,250,000円	－
H株式(非上場)	令和6年4月	本年2月	5,440,000円	4,480,000円	57,120円	（注2）
I株式(非上場)	（注3）	本年11月	1,850,000円	（注3）	2,850円	－
J株式(非上場)	平成15年7月	本年6月	7,100,000円	3,890,000円	765,000円	（注4）
K骨とう品	令和3年1月	本年4月	9,210,000円	（注5）	－	－

（注1）G別荘と同種の減価償却資産の法定耐用年数は24年である。

（注2）H株式は借入金をもって取得したものを、全株譲渡したもので、年初から本年2月の譲渡日までの借入金の利子が31,500円ある。

（注3）I株式は令和元年に13,000株を3,770,000円で取得し、その後令和4年に7,000株を2,240,000円で取得したものであり、そのうち5,000株を本年11月に譲渡したものである。

（注4）J株式は、ゴルフ場を経営するJ㈱のものであり、その株主となることがそのゴルフ場を一般の利用者に比して有利な条件で継続的に利用する権利を有する者となるための要件となっている。

（注5）K骨とう品は令和3年1月に母から単純承認による相続（相続時の価額6,470,000円）により取得したものであるが、先祖伝来のもので取得価額は不明である。

問題

〔資料Ⅳ〕

甲の本年中の利子等及び配当等に係る収入は次のとおりである。

なお、持株割合は3％未満であり、申告不要とできるものは申告不要とする。

区　　　　分	支払期日又は効力発生日	税引前の金額	源泉徴収税額(※1)（外書は地方税）		差引手取額
国　債　の　利　子	本年2月	7,980円	外	399円	
				1,222円	6,359円
公募株式等証券投資信託の収益の分配（※2）	本年10月	338,000円	外	16,900円	
				51,764円	269,336円
Ⅰ株式の剰余金の配当（計算期間1年）	本年7月	280,000円			
				57,176円	222,824円

（※1）復興特別所得税を含む金額である。

（※2）特定株式投資信託以外のものである。

〔資料Ⅴ〕

甲が本年中に家計費から支出したものは次のとおりである。

1．甲及び甲と生計を一にする親族に係る医療費　　　　　　　　　　　　　　　705,000円

　　なお、この医療費につき生命保険会社から入院給付金120,000円を取得している。

2．甲及び甲と生計を一にする親族に係る社会保険料　　　　　　　　　　　　1,058,000円

3．生命保険料（いずれも平成24年に契約したものである。）　　　　　　　　　170,000円

　　この内訳は次のとおりである。

　(1)　長女（甲とは別生計）を受取人とする一般生命保険料　　　　　　　　　 75,000円

　(2)　甲を受取人とする個人年金保険料　　　　　　　　　　　　　　　　　　 95,000円

4．住宅及び家財を保険目的とした地震保険料　　　　　　　　　　　　　　　　15,000円

〔資料Ⅵ〕

本年末現在、甲と生計を一にし、かつ、同居する親族は次のとおりである。

続　柄	年　齢	備　　考　　欄
妻	60歳	上場会社からの配当金490,000円（税引前の金額）があるが、申告不要を選択する。
長　男	36歳	本年分の給与等の収入金額は3,800,000円である。〔資料Ⅰ〕（付記事項）5(5)参照
次　男	25歳	本年分のアルバイト収入は1,290,000円である。
次　女	22歳	本年分のアルバイト収入は1,010,000円である。
妻の母	86歳	無収入で、特別障害者に該当する。

《参考資料》

1．償却率

① 平成19年3月31日以前取得

	6年	24年	36年	45年	50年
旧定額法	0.166	0.042	0.028	0.023	0.020
旧定率法	0.319	0.092	0.062	0.050	0.045

② 平成19年4月1日以後取得

	6年	24年	36年	45年	50年
定額法	0.167	0.042	0.028	0.023	0.020
定率法	0.417	0.104	0.069	0.056	0.050

③ 平成24年4月1日以後取得

	6年	24年	36年	45年	50年
定率法	0.333	0.083	0.056	0.044	0.040

2．給与所得控除額

収　入　金　額	給　与　所　得　控　除　額
180万円以下	収入金額 × 40％ － 10万円（最低55万円）
180万円超　～　360万円以下	（収入金額 － 180万円）× 30％ ＋ 62万円
360万円超　～　660万円以下	（収入金額 － 360万円）× 20％ ＋ 116万円
660万円超　～　850万円以下	（収入金額 － 660万円）× 10％ ＋ 176万円
850万円超	195万円

3．所得税の速算表

課　税　総　所　得　金　額　等		税　率	控　除　額
	1,950,000円以下	5％	－ 円
1,950,000円超	3,300,000円以下	10％	97,500円
3,300,000円超	6,950,000円以下	20％	427,500円
6,950,000円超	9,000,000円以下	23％	636,000円
9,000,000円超	18,000,000円以下	33％	1,536,000円
18,000,000円超	40,000,000円以下	40％	2,796,000円
40,000,000円超		45％	4,796,000円

問題5

問題

⇒解答：109ページ

次の資料に基づき、居住者甲（中小事業者に該当する。）の令和7年（以下「本年」という。）分の所得税及び復興特別所得税に係る申告納税額を、各種所得の金額、課税標準、所得控除額等その計算の過程を明らかにしながら甲に最も有利になるように計算しなさい。

なお、解答に当たり、消費税については考慮しないものとする。

〔資料Ⅰ〕

甲は以前から小売業を営んでおり、甲が作成した小売業に係る本年分の損益計算書は、次のとおりである。

損 益 計 算 書

自本年1月1日　　至本年12月31日　　　　　　　（単位：円）

年初商品棚卸高	9,650,000	当 年 売 上 高	98,000,000
当 年 仕 入 高	60,760,000	年末商品棚卸高	10,950,000
営 業 諸 経 費	17,370,000	雑 収 入	3,200,000
従 業 員 給 与 等	17,100,000		
当 年 利 益	7,270,000		
合 計	112,150,000	合 計	112,150,000

（付記事項）

1．甲は青色申告書を提出することにつき納税地の所轄税務署長の承認を受けており、正規の簿記の原則に従って、所得の金額に係る取引の一切の内容を詳細に記録等し、電子申告を行う予定である。

なお、棚卸資産の評価方法は、最終仕入原価法に基づく低価法を選定しており、減価償却資産の償却方法は定率法を選定している。

2．当年売上高には、次に掲げるものが含まれている。

(1) 友人乙に対する売上高　　　　　　　　　　　　　　　　　　　　　　　290,000円

この商品の通常の販売価額は500,000円、仕入価額は280,000円である。

(2) 値引販売による売上高　　　　　　　　　　　　　　　　　　　　　　　200,000円

これは、型くずれした商品について通常の販売価額では販売できないため、定価の5割引で販売したものである。この商品の通常の販売価額は400,000円、仕入価額は250,000円である。

3．甲は、次に掲げる商品に係る事項につき処理が不明であったため、何ら処理をしていない。

(1) 親類に対する贈与

この商品の通常の販売価額は200,000円、仕入価額は150,000円である。

(2) 絵画を対価とした売上

これは、現金ではなく、絵画（時価250,000円）を対価として商品を販売したものである。

この商品の通常の販売価額は300,000円、仕入価額は200,000円である。

4．雑収入は適正額である。

5．営業諸経費には、次のものが含まれている。

(1) 前年分の所得税の延納に係る利子税　　　　　　　　　　　　　　　　　10,600円

なお、甲の前年分の各種所得の金額は、次のとおりである。

各種所得	確定申告書記載額	修正申告書記載額
配 当 所 得	200,000円	200,000円
不 動 産 所 得	500,000円	600,000円
事 業 所 得	13,500,000円	16,000,000円
譲 渡 所 得 （分離長期）	2,000,000円	3,000,000円
一 時 所 得	300,000円	300,000円
雑 所 得	△50,000円	△50,000円

(2) 前年分の所得税の修正申告により納付した延滞税　　　　　　　　　　　28,800円

(3) 消耗品の購入費用　　　　　　　　　　　　　　　　　　　　　　　　　320,000円

これは、事務用消耗品で、毎年一定量を購入し、経常的に消費しているものの本年中の購入額である。なお、前年末の未消費分は35,000円、本年末の未消費分は21,000円であるが、甲は継続してその購入年分の必要経費としている。

(4) 同業者団体の加入金等　　　　　　　　　　　　　　　　　　　　　　　360,000円

これは、本年3月に支出した同業者団体の加入金240,000円と年会費120,000円の合計額である。

6．営業諸経費には、次の資産に係る減価償却費が計上されていない。

資　産	事業供用年月 （取得年月）	取 得 価 額	年初未償却残額	法 定 耐用年数	償却率	
					定額法	定率法
構 築 物	令和6年7月	14,000,000円	13,650,000円	20年	0.050	0.100
器具備品A	令和6年2月	180,000円	120,000円	4年	0.250	0.500
器具備品B	本年6月	260,000円	——— 円	4年	0.250	0.500

（注1）器具備品Aは、令和6年2月に取得し、直ちに事業の用に供したものであり、同年分の事業所得の金額の計算上、その取得価額の3分の1相当額を必要経費に算入している。

甲は、器具備品A（甲の業務の遂行上基本的に重要な資産には該当しない。）を本年10月に100,000円で売却したが、未処理である。

（注2）器具備品Bは、本年6月に取得したものである。

7. 従業員給与等の内訳は、次のとおりである。

   (1) 妻に対する給与　　　　　　　3,600,000円

     これは、甲の妻が甲の事業（小売業）に専ら従事したことにより支払った給与であり、「青色事業専従者給与に関する届出書」に記載されている金額の範囲内で、かつ、労務の対価として相当なものである。

   (2) 他の従業員に対する給与　　　13,500,000円

8. 甲が本年末において有する債権は、次のとおりである。

    売掛金　　　　　　　20,000,000円

    受取手形　　　　　　 7,000,000円

    貸付金　　　　　　　 5,000,000円

   (1) 売掛金のうちには、遠方に所在するF社とG社に対するものがそれぞれ50,000円ずつ含まれているが、両社に支払を督促したにもかかわらずその支払はされていない。なお、取り立てに要する費用は150,000円である。

   (2) 受取手形のうちには、H社に対するものが1,000,000円含まれているが、同社に対し本年において会社更生法の規定による更生計画認可の決定が行われ、その有する債権の全額が切り捨てられることとなった。

    なお、その他の受取手形はすべて売掛金の回収として受け取ったものであり、このほかに割引手形が300,000円ある。

   (3) 貸付金はすべて取引先に対するものである。

   (4) 実質的に債権とみられない部分の金額は簡便法によるものとし、簡便法割合は0.20351である。

9. 前年末に繰り入れた貸倒引当金勘定の金額は750,000円である。

10. 年末商品棚卸高は、最終仕入原価法による原価法により評価した金額であるが、年末における時価は9,822,500円である。

〔資料Ⅱ〕

甲は小売業のほか、不動産の賃貸も行っており、甲が作成した不動産の賃貸に係る本年分の損益計算書は、次のとおりである。

なお、不動産の賃貸は、事業と称するに至らない程度の規模のものである。

損 益 計 算 書

自本年1月1日　至本年12月31日　　　　　（単位：円）

諸　経　費	4,850,000	賃 貸 料 収 入	6,450,000
当　年　利　益	1,600,000		
合　　　計	6,450,000	合　　　計	6,450,000

（付記事項）

1．賃貸料収入は適正額が計上されている。

2．甲は本年3月に貸家を取り壊したが、処理が不明だったため何ら処理をしていない。この貸家の取壊し直前における未償却残額は1,000,000円である。また、この取壊しに際して支出した費用は取壊費用500,000円、立退料300,000円である。

3．甲はアパートの賃借人丙に対する未収家賃が400,000円あるが、本年にその全額が回収不能となった。丙は前年においてこのアパートを明渡しており、未収家賃はすべて前年分の賃貸料収入に計上されているものである。

4．諸経費には、アパート及び貸家の減価償却費（適正額）が含まれている。

〔資料Ⅲ〕

甲は山林を所有しており、本年9月に次の山林の譲渡をしている。

なお、この山林の譲渡は事業と称するに至らない程度の規模のものである。

資　　産	取 得 年 月	譲 渡 対 価	植　林　費	育 成 費 用 管 理 費 用	伐 採 費 等
Ⅰ 山 林	H22. 8	6,000,000円	2,000,000円	440,000円	350,000円
J 山 林	R 4. 3	872,000円	200,000円	100,000円	50,000円

〔資料Ⅳ〕

甲が本年中に得た利子収入、配当収入は、次のとおりである。なお、源泉徴収されるものはすべて源泉徴収税額（復興特別所得税及び住民税を含む。）控除前の金額である。

1．定期預金の利子　　　　　　　　　　　　　　　7,500円

2．納税準備預金の利子　　　　　　　　　　　　　2,000円

この預金については、租税納付目的以外に引き出されたことはない。

3．K株式（非上場株式）の配当金　　　　　　　　150,000円

問題
6

問題

－31－

〔資料Ⅴ〕

甲は本年中に次の有価証券の譲渡をしている。

なお、この有価証券の譲渡はすべて譲渡所得に該当する。

銘　　柄	取得年月	譲　渡　価　額	取　得　価　額	譲　渡　費　用	備　　考
Ｋ　株　式	Ｒ５.６	1,330,000円	（注１）	50,000円	（注１）
Ｌ　株　式	（注２）	3,000,000円	（注２）	80,000円	（注２）
ゴルフ会員権	Ｈ30.８	880,000円	300,000円	40,000円	（注３）

（注１）Ｋ株式（非上場株式）は、令和５年６月に１株当たり1,500円で1,000株取得したもの
　　　　のうち、700株を本年５月に１株当たり1,900円で譲渡したものである。このＫ株式は借
　　　　入金をもって取得したものであり、本年対応分の支払利子は60,000円である。

　　　　なお、甲は本年中に借入金の返済はしていない。

（注２）Ｌ株式（非上場株式）は、本年５月に１株当たり1,000円で譲渡したものであり、Ｌ株
　　　　式の最初の取得時から本年末までの売買状況は、次のとおりである。

売　買　年　月　日	売　買　区　分	売　買　株　数	取　得　価　額 又　は 譲　渡　価　額
平成29年３月	購　　入	1,000株	812,000円
令和２年11月	購　　入	4,000株	3,640,000円
令和３年10月	譲　　渡	2,000株	1,600,000円
令和６年８月	購　　入	2,000株	1,500,000円
本年５月	譲　　渡	3,000株	3,000,000円

（注３）ゴルフ会員権は、預託金方式のものであり、本年10月に会員権業者を通じて譲渡した
　　　　ものである。

〔資料Ⅵ〕

甲は本年10月に盗難に遭い、甲所有の家財１点と長女所有のダイヤモンドの指輪１点が盗まれ
た。

なお、家財については損害保険契約を締結しており、本年11月に損害保険金が400,000円支払わ
れた。

資　　産	所有者	取得費相当額	時　　価
家　　財	甲	700,000円	870,000円
指　　輪	長　女	600,000円	200,000円

〔資料Ⅶ〕

甲は本年中に上記のほか、次の支出をしている。

なお、甲は健康の保持増進のため一定の取組を行っている。

1. 医療費

　(1) 妻に係るもの　　　　　　　　94,000円

　　　これは、妻の歯の治療に係るものである。

　(2) 妻の母に係るもの　　　　　　63,000円

　　　いわゆるスイッチＯＴＣ医薬品の購入費用である。

2. 社会保険料　　　　　　863,000円

3. 生命保険料　　　　　　360,000円

　　これは、甲を被保険者、妻を受取人とする一般の生命保険契約（平成24年以後契約したもの）

　に基づき支払ったものである。

〔資料Ⅷ〕

　本年末において、甲（58歳）と生計を一にし、かつ、同居している親族は、次のとおりである。

1. 妻（55歳）

　　妻は、甲の営む小売業に専ら従事している。（〔資料Ⅰ〕7(1)参照）

2. 長女（27歳）

　　長女の本年分の給与所得の金額は3,500,000円である。また、本年10月にダイヤモンドの指輪

　が盗難に遭っている。（〔資料Ⅵ〕参照）

3. 妻の母（83歳）

　　妻の母は、身体障害者手帳に3級と記載されており、本年分の所得はなかった。

(注) 甲には上記の親族の他に長男（22歳）がいるが、長男は本年9月からアメリカに留学して

　　おり非居住者である。生活費は甲が送金しており、長男には、本年分の所得はなかった。

問題6

問題

《参考資料》

所得税の速算表

課　税　総　所　得　金　額　等	税　　率	控　　除　　額
1,950,000円以下	5％	—　円
1,950,000円超　～　3,300,000円以下	10％	97,500円
3,300,000円超　～　6,950,000円以下	20％	427,500円
6,950,000円超　～　9,000,000円以下	23％	636,000円
9,000,000円超　～　18,000,000円以下	33％	1,536,000円
18,000,000円超　～　40,000,000円以下	40％	2,796,000円
40,000,000円超	45％	4,796,000円

⇨解答：117ページ

	制限時間	65分
	難 易 度	B

　居住者甲（年齢60歳。以下「甲」という。）の令和7年（以下「本年」という。）分の所得税の計算に関する事項は、下記のとおりである。これらの資料に基づき、甲の本年分の確定申告により納付すべき所得税及び復興特別所得税の額を、各種所得の金額、課税標準等その計算の過程を明らかにして、甲に最も有利になるように計算しなさい。

　なお、解答に当たっては、消費税について考慮する必要はない。

〔資料Ⅰ〕

　甲は、以前から物品販売業を営んでおり、甲が作成した本年分の物品販売業に係る損益計算書は、次のとおりである。

損 益 計 算 書

自本年1月1日　至本年12月31日　　　（単位：円）

年初商品棚卸高	3,908,750	本 年 売 上 高	54,487,000
当年商品仕入高	36,210,000	年末商品棚卸高	4,035,000
諸　　経　　費	16,916,375	雑　　収　　入	3,824,000
当　年　利　益	5,439,175	貸倒引当金戻入額	128,300
	62,474,300		62,474,300

（付記事項）

1．甲は、青色申告書を提出することにつき、納税地の所轄税務署長の承認を受けている。

2．甲は、帳簿書類を備え付け、事業上の取引の一切の内容を正規の簿記の原則に従った複式簿記により詳細に記録し、電子申告を行う予定である。

3．甲は、棚卸資産の評価方法については、最終仕入原価法に基づく低価法を選定しているが、本年から先入先出法に基づく低価法に変更したいと思い、その旨の申請書を本年分の確定申告期限までに提出するつもりである。

4．甲は、減価償却資産の償却方法については、すべての資産につき定額法を選定している。

5．本年売上高は、物品販売業に係る商品の本年分の売上高であるが、その中には次のものが含まれている。

　⑴　友人乙に対する売上高　　　　　　　180,000円

　　これは、友人乙に対する販売価額を計上したものである。なお、この商品の通常の販売価額は280,000円、仕入価額は210,000円である。

　⑵　バーゲンセールによる売上高　　　2,880,000円

　　これは、年末に行ったバーゲンセールによる販売価額を計上したものである。なお、この

商品の通常の販売価額は4,800,000円、仕入価額は3,200,000円である。

6．甲は、本年中に次の取引があるが、いずれも未処理である。

（1）　家事消費

　　　これは、甲が取り扱っている商品を、家事用として使用したものである。なお、この商品の通常の販売価額は250,000円、仕入価額は187,000円である。

（2）　A市立小学校に対する寄附

　　　これは、甲が取り扱っている商品を、甲が居住するA市にある市立小学校に対して寄附したものである。なお、この商品の通常の販売価額は500,000円、仕入価額は370,000円である。

7．雑収入は、物品販売業に係るものであるが、その中には次のものが含まれている。なお、その支払いの際に源泉徴収されることとなっているものについては、源泉徴収税額（復興特別所得税及び特別徴収住民税額を含む。）控除前の金額を計上している。

（1）　普通預金の利子　　　　　　　　　　　1,800円

　　　これは、物品販売業に係る普通預金口座の利子で、本年に対応するものである。

（2）　事業用備品の売却収入　　　　　　　　50,000円

　　　これは、令和6年11月に90,000円で取得し、同日以後事業の用に供していた備品（法定耐用年数3年）を本年8月に売却したことにより収入したものである。

　　　なお、この備品は、甲の事業の遂行上基本的に重要な資産には該当せず、甲は取得年において取得価額の全額を必要経費に算入している。

8．年末商品棚卸高は、甲が取り扱っている商品の年末棚卸高について、先入先出法による原価法により評価した金額を計上したもので、その内訳は次のとおりである。

種　　類	先入先出法による評価額	最終仕入原価法による評価額	年末における時　　価
B　商　品	1,540,000円	1,590,000円	1,320,000円
C　商　品	1,325,000円	1,335,000円	1,344,000円
D　商　品	1,170,000円	1,110,000円	1,100,000円
合　　計	4,035,000円	4,035,000円	3,764,000円

（注1）　B商品のうちには、破損商品が含まれており、先入先出法による評価額では280,000円、最終仕入原価法による評価額では265,000円、年末における時価では220,000円でそれぞれ計上されているが、年末における処分可能価額は70,000円である。

（注2）　C商品のうちには、棚ざらしにより価額が低下し、今後通常の方法により販売できないものが含まれており、先入先出法による評価額では110,000円、最終仕入原価法による評価額では111,250円、年末における時価では112,000円でそれぞれ計上されているが、年末における処分可能価額は40,000円である。

9．諸経費は、物品販売業に係るものであるが、その中には次のものが含まれている。

(1) アーケード負担金　　　　　　　　　　　　180,000円

　　　これは、甲の所属する商店会でアーケード（法定耐用年数15年）を建設することになり、本年10月に支出した負担金である。

　　　なお、この負担金の総額は900,000円であるが、分割払いとされており、本年10月を第1回目とし、以後毎年3月末日までに合計5回の年賦で支払うこととなっている。

(2) 店舗に係る固定資産税　　　　　　　　　　270,000円

　　　これは、本年分の固定資産税額の第1期分から第3期分の納付額の合計額であり、第4期分の納付額90,000円については納期が翌年であるため計上していない。

10．減価償却資産に関する資料は、次のとおりである。なお、減価償却費は諸経費には含まれていない。

種　類	取　得　価　額	年初未償却残額	事 業 供 用 日	法定耐用年数
店　舗	12,000,000円	6,006,000円	平成18年7月	34年
備品E	424,000円	251,750円	令和3年10月	8年
車　両	500,000円	―――――	本年1月	（注）

　（注）この車両は中古資産を取得したものであるが、耐用年数を見積もることはできない。

　　　　なお、法定耐用年数は5年、経過年数は2年である。

11．本年末における事業上の債権の帳簿残高は3,500,000円であり、実質的に債権とみられないものの額は700,000円である。なお、貸倒引当金繰入額は諸経費には含まれていない。

　　また、損益計算書に計上されている貸倒引当金戻入額は、前年末において必要経費に算入した貸倒引当金勘定の金額を本年戻入れたものである。

〔資料Ⅱ〕

　　甲は、平成27年からHマンションの賃貸を行っており、甲が作成した本年分のHマンションの賃貸に係る損益計算書は、次のとおりである。

損 益 計 算 書

自本年1月1日　至本年12月31日　　　（単位：円）

諸 経 費	14,113,000	賃 貸 料 収 入	17,610,000
当 年 利 益	4,671,000	礼 金 収 入	444,000
		敷 金 収 入	380,000
		更 新 料 収 入	350,000
	18,784,000		18,784,000

（付記事項）

1．賃貸料収入は、Hマンション（15室）の賃貸に係るものであり、その中には次のものが含まれている。

　　なお、賃貸料の契約上の支払日はすべて前月末日までとなっている。

　　(1)　賃借人Ⅰに係る賃貸料　　　　　　　800,000円

　　　　本年10月分以降の賃貸借契約更新に伴い、賃借人Ⅰに対して賃貸料を従前の月額100,000円から月額120,000円へ値上げする旨を申し出たところ、Ⅰがこれを拒否し係争となったため、上記金額には本年10月分以降の賃貸料が計上されていない。

　　　　賃借人Ⅰは従前の賃貸料相当額を毎月法務局に供託しているが、本年末現在係争中である。

　　(2)　賃借人Ｊに係る賃貸料　　　　　　　600,000円

　　　　賃借人Ｊは甲との賃貸借契約に違反したため、本年5月末日をもって契約を解除する旨を申し出たところ、Ｊがこれを拒否し係争となったため、上記金額には本年6月分以降の賃貸料が計上されていない。

　　　　なお、賃借人Ｊは賃貸料月額150,000円相当額を毎月法務局に供託しているが、本年末現在係争中である。

2．礼金収入は、Hマンションについて、本年中に新規に賃貸借契約を締結した際に支払いを受けたものであり、すべて本年中に引き渡しが完了している。

3．敷金収入は、Hマンションについて、本年中に新規に賃貸借契約を締結した際に支払いを受けたものである。なお、敷金については退室の際に修繕費と相殺し、残額を返還することとしており、本年中に新規に契約した者で本年中に退室したものはいない。

4．更新料収入は、Hマンションについて本年中に賃貸借契約を更新した際に支払いを受けたものである。

5．諸経費は、Hマンションの賃貸に係るものであるが、その中には次のものが含まれている。

　　(1)　入居者斡旋に係る仲介手数料　　　　730,000円

　　　　これは、入居者斡旋を不動産業者に依頼したことによるものである。

　　(2)　修繕費　　　　　　　　　　　　　566,000円

　　　　これは、本年中に賃借人が退室した部屋に係るものである。

　　　　なお、この部屋はすべて前年以前に契約したものであり、契約の際に預かった敷金のうち上記金額相当額は返還していないが、これについては何ら処理をしていない。

6．諸経費には、Hマンションに係る減価償却費が計上されていない。Hマンションは、平成27年1月に34,000,000円で取得したものであり、年初未償却残額は26,520,000円、法定耐用年数は47年である。

7．前年8月に計上したHマンションに係る未収賃貸料160,000円が本年回収不能となっている
　が、何ら処理をしていない。

〔資料Ⅲ〕

　　甲は、本年5月に甲所有の別荘と友人丙所有の別荘を交換し、交換後も取得資産を別荘として
　使用しており、これらに関する事項は次のとおりである。

　1．交換譲渡資産に関する事項

　　　別荘の敷地は平成23年11月に21,800,000円で取得したもので、交換直前の時価は30,000,000
　　円である。また、別荘は平成24年3月に10,000,000円で取得したもので、交換直前の時価は
　　6,000,000円である。なお、この別荘と同種減価償却資産の耐用年数は20年である。

　2．交換取得資産に関する事項

　　　別荘の敷地は、丙が平成9年8月に7,200,000円で取得したもので、交換直前の時価は27,000,000
　　円である。また、別荘は、丙が平成24年2月に取得したもので、交換直前の時価は7,000,000
　　円である。なお、甲はこの交換により交換差金2,000,000円を丙から取得している。

　3．その他の事項

　　　甲は、譲渡費用として612,000円を支出している。

〔資料Ⅳ〕

　　甲は、本年中に生命保険契約の満期保険金2,700,000円を受け取っている。

　　これは、甲を契約者（保険料支払者）及び被保険者とする養老保険契約が、本年1月に満期に
　なったことにより受けたものである。

　　なお、この保険は当初甲の父が加入したものであるが、父の死亡により甲がその生命保険契約
　に関する権利を相続したものである。父が払込んだ保険料の総額は1,500,000円、甲が払込んだ
　保険料の総額は550,000円（本年中に支払った保険料はない。）である。

〔資料Ⅴ〕

　　甲は、本年3月に居住用家屋のリフォーム（高齢者等居住改修工事、断熱改修工事及び多世帯
　同居改修工事には該当しない。）を行い、直ちに居住の用に供したが、これに関する事項は次の
　とおりである。

　1．居住用家屋の床面積　　　　　　　　　　　　　120㎡

　2．リフォーム費用の内訳

　　(1)　自己資金　　　　　　　　　　　　　　　600,000円

　　(2)　銀行からの借入金　　　　　　　　　　3,900,000円

　　　なお、この借入金は返済期間10年の割賦償還の方法により返済するもので、本年末現在の
　　残高は3,872,000円である。

〔資料Ⅵ〕

甲は、本年3月に盗難により、次の資産について損害を受けた。

所 有 者	資 産	取 得 費	時 価	受取保険金
甲 の 妻	絵 画	700,000円	800,000円	200,000円
甲	現 金	500,000円	500,000円	——

〔資料Ⅶ〕

甲は、本年中に次のものを支出している。

1．社会保険料　　　　　　　　　　　　　　　1,008,000円

　　これは、甲及び甲と生計を一にする親族に係るものである。

2．医療費　　　　　　　　　　　　　　　　　1,177,500円

　　これは、甲及び甲と生計を一にする親族に係るものとして本年中に支出した金額であり、その内訳は次のとおりである。

　(1)　甲に対する医療費

　　　①　歯科医師に対する治療費　　　　　　350,000円

　　　②　薬局で購入した体力増進剤の購入費　150,000円

　　　③　人間ドックの費用　　　　　　　　　140,000円

　　　　なお、検査の結果特に異常は認められなかった。

　(2)　甲の母に対する医療費

　　　①　医療費及び入院費　　　　　　　　　392,500円

　　　②　入院中の食費　　　　　　　　　　　 35,000円

　　　③　医師に対する謝礼　　　　　　　　　 50,000円

　(3)　甲の長女に対する医療費（本年4月に支出）　60,000円

　　　　なお、長女は本年6月に他家に嫁ぎ、本年末現在甲と生計を一にしていない。

〔資料Ⅷ〕

本年末現在、甲と生計を一にし、かつ、同居する親族は次のとおりである。

続 柄	年 齢	所 得 の 状 況 等
妻	57歳	専業主婦であるが、本年中に所有期間5年超の骨董品の譲渡益が1,960,000円生じている。
長 男	25歳	会社員で、本年中に給与所得の金額2,555,000円がある。
次 女	24歳	本年中にアルバイトによる給与収入1,030,000円がある。
次 男	21歳	大学生で、本年中に所得はない。
甲の母	80歳	特別障害者であり、本年中に所得はない。

《参考資料》

1．給与所得控除額

　　収入金額180万円以下　収入金額×40％－10万円

　　※　上記算式により計算した金額が55万円に満たない場合は55万円とする。

2．減価償却率

　(1)　旧定額法

　　　3年　……　0.333　　　　5年　……　0.200　　　　8年　……　0.125

　　　20年　……　0.050　　　30年　……　0.034　　　34年　……　0.030

　　　47年　……　0.022

　(2)　定額法

　　　3年　……　0.334　　　　5年　……　0.200　　　　8年　……　0.125

　　　20年　……　0.050　　　30年　……　0.034　　　34年　……　0.030

　　　47年　……　0.022

3．所得税の速算表

課　税　総　所　得　金　額　等	税　　率	控　　除　　額
1,950,000円以下	5％	－　円
1,950,000円超　～　3,300,000円以下	10％	97,500円
3,300,000円超　～　6,950,000円以下	20％	427,500円
6,950,000円超　～　9,000,000円以下	23％	636,000円
9,000,000円超　～　18,000,000円以下	33％	1,536,000円
18,000,000円超　～　40,000,000円以下	40％	2,796,000円
40,000,000円超	45％	4,796,000円

⇨解答：126ページ

問題7

問題

問題8

居住者甲（45歳）の令和7年（以下「本年」という。）分の所得税の計算に関する事項は、次の資料のとおりである。

これに基づき、甲の本年分の確定申告により納付すべき所得税及び復興特別所得税の額を、各種所得の金額、課税標準等の計算の過程を明らかにして、甲の所得税の額が最も少なくなるように計算しなさい。

なお、消費税について考慮する必要はない。

【資料Ⅰ】

甲は、本年2月に、新たに物品販売業を開業している。

なお、物品販売業に係る損益計算書は次のとおりであり、甲は、中小事業者に該当する。

損 益 計 算 書

自本年2月1日　至本年12月31日　　　（単位：円）

当年商品仕入高	24,186,000	本 年 売 上 高	34,670,000
営 業 費	10,746,000	年末商品棚卸高	3,580,000
当 年 利 益	3,682,309	雑 収 入	364,309
	38,614,309		38,614,309

1．甲は、本年3月15日に、次の書類を所轄税務署長に提出している。

(1) 個人事業の開廃業等届出書（事業所得の開業を届出している。）

(2) 棚卸資産の評価方法の選定届出書（先入先出法に基づく原価法を選定している。）

なお、減価償却資産の償却方法は、何らの選定届出も行っていない。

また、甲は、青色申告承認申請書は提出していないが、取引の内容は詳細に記録している。

2．本年売上高は適正額である。

3．雑収入には、いずれも事業資金で購入した、次の金融商品に係る収益が含まれている。

(1) 公社債の利子　　　　　65,827円

これは、外国公社債（特定公社債には該当しない）に係るもので、国内における支払の取扱者を経由して受けたものである。

なお、上記金額は、外国所得税4,125円及び源泉徴収税額（特別徴収住民税を含む。）12,548円控除後の金額である。

(2) 剰余金の配当　　　　　98,282円

これは、外国株式（非上場である。）に係るもので、国内における支払の取扱者を経由して受けたものである。なお、上記金額は、外国所得税6,500円及び源泉徴収税額25,218円控

除後の金額である。

4．年末商品棚卸高は、商品有高帳に基づいて先入先出法により計算した金額であるが、実地棚
卸高は3,440,000円である。

5．営業費には次の金額が含まれている。

(1)　開業費　　　　　　　　　　373,000円

　　　これは、開業準備のために特別に支出した金額である。

(2)　借入金の利子　　　　　　　486,000円

　　　これは、店舗取得のための借入金の利子であるが、上記金額のうち84,000円は、開業前の
期間に係るものである。

(3)　店舗の改良費　　　　　　　2,500,000円

　　　中古の建物を取得後、店舗に改良するために要した費用である。

(4)　建物賃借の際に支払った費用　985,000円

　　　これは、本年4月に商品保管用の倉庫とするために賃借した建物の契約に際し支払った費
用の総額であり、内訳は次のとおりである。

　　①　権利金　　　　600,000円

　　②　保証金　　　　300,000円（このうち50%は、返還されないものである。）

　　③　仲介手数料　　85,000円

　　　なお、この建物の賃借期間は4年であり、契約が終了した場合には、権利金と同額の更新
料を支払うことになっている。

(5)　賃借料　　　　　　　　　　360,000円（本年4月分から翌年3月分）

　　　上記(4)の建物に係るものであり、契約と同時に向こう1年分を支払ったものである。

(6)　妻に対する給与　　　　　　2,800,000円

　　　甲の妻は、本年3月より、甲の営む物品販売業に専従しており、その対価として支払った
ものである。

6．営業費には、次の資産の減価償却費が含まれていない。

　　なお、備品H及びIは、取得と同時に事業の用に供している。

種　　類	取 得 年 月	取 得 価 額	耐用年数	備　　考
店　　舗	本年1月	26,000,000円	34年	（注1）
備品H	本年4月	97,000円	4年	―
備品I	本年3月	1,200,000円	4年	（注2）

　（注1）築年数8年の中古の建物を購入し、改良したものであり、耐用年数を見積もることは
　　　　困難である。

　（注2）1台300,000円のものを4台購入している。

問題8

問題

7．本年末における事業上の債権額は売掛金1,340,000円であるが、このうち400,000円は、取引先J社に対するものであり、J社は、本年11月に手形の不渡りを出した後、翌年2月に手形交換所の取引停止処分を受けている。

　　なお、同社に対する支払手形が100,000円ある。

【資料Ⅱ】

　　甲は、物品販売業を営むかたわら、従業員としてE社に勤務しており、本年中に7,824,000円（源泉徴収税額控除前の金額）の給与を得ているが、本年12月31日に退職した。

　　甲のE社の勤続年数は25年であり、E社から退職日に支給された退職金の額は22,450,000円（源泉徴収税額4,584,290円控除前の金額）であった。なお、甲は、退職所得の受給に関する申告書を提出していない。

　　また、E社からは、上記の給与のほか、次の手当等の支給を受けている。本年分の給与所得に係る源泉徴収税額は278,222円（適正額）である。

1．本年3月の出張に際し、出張旅費として80,000円の支給を受けている。

　　この金額は、旅費規程に基づき支給されたもので、実際支出額は65,000円である。

2．本年6月に長女が生まれたことにより出産祝金50,000円の支給を受けている。

　　なお、上記金額は、社会通念上相当と認められるものである。

3．本年中に支給された通勤手当は一月あたり18,000円である。

【資料Ⅲ】

　　甲は、本年中に次の資産を譲渡している。

資産の種類	取得年月	取得価額	譲渡対価	譲渡費用	備考
土　地　　M	平成25年1月	14,000,000円	――――	1,250,000円	（注1）
P非上場株式	平成25年5月	4,000,000円	6,000,000円	60,000円	（注2）
骨　と　う	（注3）	（注3）	3,600,000円	36,000円	（注3）

（注1）本年9月に友人が所有する土地L（友人が1年以上所有していたものであり、交換のために取得したものではない。）と交換したものであり、交換後、直ちに土地Lを土地Mと同一の用途に供している。なお、交換時の土地Mの時価は20,000,000円、土地Lの時価は18,500,000円であり、甲は、交換差金1,500,000円を受け取っている。

（注2）本年2月に譲渡した株式型のゴルフ会員権である。

（注3）重要文化財に該当するもので、本年11月に国に対して譲渡したものである。なお、この骨とうは先祖代々伝わるもので、取得時期、取得価額は不明である。

【資料Ⅳ】

本年中に、上記の他、次の事項がある。

1．本年1月に生命保険の満期一時金10,000,000円の支払いを受けている。

この保険は、保険契約者及び被保険者を甲、保険料支払者を甲の父とする契約であったが、令和3年に父が死亡しており、その後は甲が保険料の支払いをしていたものである。

なお、父が負担した保険料（年払い契約で毎年6月に支払う。）の総額は3,800,000円であり、甲が負担した保険料の総額は1,200,000円（本年中の支払額はなかった。）である。

2．投資目的で購入したQ国内株式に係る負債の利子80,000円を支払っている。

このQ株式は、購入後に業績が急激に悪化し、本年において無配となっている。

3．匿名組合契約に係る利益の分配金150,000円（源泉徴収税額30,630円控除前の金額）の支払いを受けている。

この組合は、不動産の賃貸を業務として営むもので、利益が生じた場合に限り、分配金の支払をしている。なお、共同経営をしているとは認められない。

4．甲は、本年8月に自己所有の土地に住宅を新築し、本年11月に完成後、直ちに居住の用に供している。

この住宅（認定住宅であり、床面積は110㎡である。）は金融機関からの借入金（償還期間30年の割賦償還による返済である。）で建築したものであり、当初の借入額は35,000,000円、年末借入金残高は34,741,000円である。

5．平成18年に600,000円で購入した絵画が、本年5月に盗難に遭っている。

この絵画の盗難時の時価は520,000円である。

【資料Ⅴ】

甲は、本年中に家計費から次の支出を行っている。

1．医療費　　　　　　　　　　2,069,500円

内訳は次のとおりであり、いずれも一般的に支出される水準を著しく超えないもので、保険金控除後の金額である。

(1)　妻の出産費用　　　　　420,000円

上記金額には、出産後の新生児に対する保健指導の費用34,000円が含まれている。

(2)　母の人間ドックの費用　150,000円

上記の検査の結果、異常が発見され、直ちに入院している。

(3)　母の入院費用　　　　1,417,000円

上記金額には、病院に空き部屋がなかったことによる差額ベッド代84,000円が含まれている。

(4)　医師等に対する謝礼　　65,000円

医師及び看護師に対する謝礼である。

(5) 診断書の作成費用　　　　　4,500円

　　母の病気に伴う診断書の作成費用である。

(6) 風邪薬代　　　　　　　　　13,000円

　　甲が風邪をひいたことによる市販薬の購入代金である。

　　なお、この薬はいわゆるスイッチOTC医薬品には該当しないものである。

2．生命保険料　　　　　　　　74,000円

　　これは、本年2月に契約した甲を保険金受取人とする個人年金保険契約（所得税法上の要件を充足するもの）に係るもので本年2月に向こう1年分を支払ったものである。

　　なお、保険料は毎年2月に1年分を支払う契約である。

【資料VI】

本年末現在、甲（45歳）と生計を一にし、かつ、同居する親族は次のとおりである。

続　柄	年　齢	摘　　　　　　　　要
妻	34歳	甲から2,800,000円の給与を受けている。（【資料Ⅰ】5(6)参照）
長　男	6歳	所得はない。
長　女	0歳	所得はない。
母	71歳	病気により長期入院中である。本年中に所得はない。

《参考資料》

1．減価償却資産の償却率表

	4年	27年	28年	34年
旧定額法	0.250	0.037	0.036	0.030
旧定率法	0.438	0.082	0.079	0.066
定　額　法	0.250	0.038	0.036	0.030
定　率　法	0.500	0.074	0.071	0.059

2．給与所得控除額

収　入　金　額		給 与 所 得 控 除 額
	180万円以下	収入金額 × 40% － 10万円（最低55万円）
180万円超　～　360万円以下		（収入金額 － 180万円）× 30% ＋ 62万円
360万円超　～　660万円以下		（収入金額 － 360万円）× 20% ＋ 116万円
660万円超　～　850万円以下		（収入金額 － 660万円）× 10% ＋ 176万円
850万円超		195万円

3．所得税の速算表

課税所得金額（A）	税率（B）	控除額（C）	計　　算　　式
1,950,000円以下	5 %	——	
1,950,000円超 〜 3,300,000円以下	10%	97,500円	
3,300,000円超 〜 6,950,000円以下	20%	427,500円	
6,950,000円超 〜 9,000,000円以下	23%	636,000円	A×B−C＝ 　Aの金額に対する税額
9,000,000円超 〜 18,000,000円以下	33%	1,536,000円	
18,000,000円超 〜 40,000,000円以下	40%	2,796,000円	
40,000,000円超	45%	4,796,000円	

⇨解答：135ページ

問題
8

問題

　次の資料は、居住者甲（66歳、中小事業者に該当する。以下「甲」という。）の令和7年（以下「本年」という。）分の所得税の計算に関する事項である。これらに基づき、甲の本年分所得税の確定申告により納付すべき所得税及び復興特別所得税の額を、各種所得の金額及び課税標準等その計算の過程を示して甲に最も有利となるように答えなさい。

　なお、解答に当たり、消費税については考慮しないものとする。

【資料Ⅰ】

　甲は、役員として勤務していたA株式会社を本年3月31日をもって退職した。なお、本年分の役員報酬等及び役員退職金等に関する資料は次のとおりである。

　1　役員報酬等

　(1)　本年1月から3月までの役員報酬は2,429,000円であるが、この金額には通勤手当72,000円及び出張旅費60,000円が含まれている。

　　　なお、通勤手当は1月当たり24,000円の支給を受けたものである。

　　　また、出張旅費は職務の遂行のための旅行の費用に充てるために、旅費規程に基づき支給されたものであるが、実際支出額は50,000円であった。

　(2)　甲は上記(1)の他、接待交際費150,000円の支給を受けている。

　　　これは、1月あたり50,000円の支給を受けたもので、その使用にあたって精算を要しないものであるが、甲は支給された金額をすべて職務の遂行のために使用している。

　(3)　上記(1)及び(2)に掲げる金額はすべて源泉徴収税額を控除する前の金額であり、そのうち、給与所得として課税されるものに係る源泉徴収税額は198,650円である。

　2　役員退職金等

　(1)　今回の退職に係る役員退職金は12,000,000円である。

　　　これは、甲がA株式会社に役員として勤務していた平成23年2月1日から本年3月31日までの期間に係るものとして支給を受けたものである。

　　　なお、甲は昭和62年4月1日から平成23年1月31日までの期間は、使用人としてA株式会社に勤務しており、役員に昇格する際にその期間に係る退職金10,500,000円の支給を受けている。

　(2)　甲は上記(1)の他、今回の退職に際して時価25,000円相当の永年勤続記念品の支給を受けている。この記念品は、甲の勤続期間等に照らし、社会通念上相当と認められるものであり、甲は過去において永年勤続記念品の支給を受けたことはない。

　(3)　上記(1)及び(2)に掲げる金額はすべて源泉徴収税額を控除する前の金額であり、甲は、今回の退職に際して「退職所得の受給に関する申告書」の提出はしていない。

甲は、A株式会社を退職後、本年6月1日から物品販売業を開業しており、それに関する資料は次のとおりである。

なお、甲は帳簿書類を備え付けて、取引の内容を詳細に記録し、電子申告を行う予定である。

損 益 計 算 書

自本年6月1日　至本年12月31日　　　　（単位：円）

当年商品仕入高	22,965,000	当年商品売上高	47,210,500
営 業 諸 経 費	9,665,000	年末商品棚卸高	6,390,000
当 年 利 益	24,382,500	雑 収 入	3,412,000
合 計	57,012,500	合 計	57,012,500

（付記事項）

1　甲は、物品販売業の開業に当たり、次の書類を本年6月20日に納税地の所轄税務署長に提出している。

なお、下記書類には、いずれも開業日は6月1日と記載し、本年分の所得税から適用を受ける旨が記載されているが、これらのうち、所轄税務署長の承認を要するものについては、本年12月31日現在、承認又は却下のいずれの通知も受けていない。

(1) 開業の届出書

(2) 青色申告の承認申請書

(3) 青色事業専従者給与に関する届出書

(4) 棚卸資産の評価方法の届出書（最終仕入原価法に基づく低価法による旨が記載されている。）

(5) 減価償却資産の償却方法の届出書（すべての資産につき定率法による旨が記載されている。）

2　雑収入には次のものが含まれている。

(1) 損害賠償金　　　　　　　　　　　　　　　　　　　　815,000円

これは、本年9月に甲が車両を運転中に交通事故に遭ったことから、加害者より受けたもので、その内訳は次のとおりである。

① 車両の損害に係るもの　　　　　　　　　　450,000円

事故に遭った車両の損害に係るものとして受けたものである。

② 商品の損害に係るもの　　　　　　　　　　135,000円

上記①の車両に積載されていた商品の損害に係るものとして受けたものである。

③ 収益補償に係るもの　　　　　　　　　　　150,000円

上記①の車両の修理期間中の収益の減少に係るものとして受けたものである。

④　甲の治療費に係るもの　　　　　　　　　　　　80,000円

　　　甲の負傷による治療費に係るものとして受けたものである。

(2)　店舗の屋上の使用料収入　　　　　　　　　　　　　　　　140,000円

　　　これは、店舗の屋上にB商店の看板を設置させたことによる使用料収入である。

3　当年商品仕入高には、上記2(1)②の損害を受けた商品に係る原価90,000円が含まれている。
　なお、損害を受けた商品については、廃棄処分としている。

4　年末商品棚卸高は、本年末現在の手許商品について、最終仕入原価法により評価した金額であるが、これを本年末現在の時価により評価すると6,334,230円である。

5　営業諸経費には、次のものが含まれている。

(1)　損害保険料　　　　　　　　　　　　　　　　　　　　　　165,000円

　　　これは、物品販売業の用に供している資産を保険目的とする損害保険契約に基づき、本年分の保険料として支払ったものである。

　　　なお、この契約の保険期間は5年で、満期時には満期返戻金が支払われる契約となっているため、上記金額には、満期返戻金の基礎とされる保険料が75,000円含まれている。

(2)　倉庫の賃借に際して支払った金額　　　　　　　　　2,540,000円

　　　これは、商品保管用の倉庫として建物を賃借した際に支払った金額の合計額であり、その内訳は次のとおりである。

　　　なお、この賃貸借契約の契約期間は本年6月1日から3年であり、契約更新時に権利金を支払うこととなっている。

　　　また、賃借料は向こう1年分を毎年6月1日に支払う契約である。

①　権利金　　　　　　　　　　　　　1,340,000円

②　不動産業者に支払った仲介手数料　　　360,000円

③　本年6月1日から翌年5月31日までの賃借料　840,000円

(3)　車両の修理費用　　　　　　　　　　　　　　　　　　　635,000円

　　　これは、上記2(1)①の車両の修理費用として本年9月に支払ったもので、この車両は9月中に修理が完了し、直ちに物品販売業の用に供している。

6 営業諸経費には、次の減価償却資産に係る償却費が計上されていない。なお、甲は、全ての資産を本年中に取得している。

種　類	取　得　価　額	法定耐用年数	事 業 供 用 日	備　　　考
店　　舗	36,000,000円	30年	本年6月1日	
車　　両	3,500,000円	6年	本年6月1日	（注1）
器具備品	275,000円	4年	本年6月1日	
機械装置	1,650,000円	4年	本年6月1日	（注2）

（注1）本年9月の商品配達途中の交通事故により損害を受けており、損害直後における時価は2,600,000円である。（付記事項2(1)①及び5(3)参照）

（注2）新品の機械装置である。

7 甲は、開業準備費用として450,000円を支出している。これは、物品販売業を開業するまでの間に開業準備のために特別に支出したものであるが、甲は何ら処理をしていない。

8 本年末現在における物品販売業に係る債権は次のとおりである。

(1) 売掛金　　　　　　　　　　　　　　　8,560,000円

　　　この中にはE商店に対するものが100,000円含まれている。E商店とは本年6月中に数回取引を行ったが、その後何らの取引も行っていない。

(2) 受取手形　　　　　　　　　　　　　　7,340,000円

　　　この中にはF株式会社に対するものが800,000円含まれている。同社については、本年10月に民事再生法の規定による再生手続開始の申立てがあった。

　　　なお、同社とは相互に取引を行っており、同社に対する買掛金が250,000円ある。

【資料Ⅲ】

　甲は、本年中に次の利子、配当等の支払いを受けている。

　なお、すべて計算期間は1年であり、また、源泉徴収されるものについては、すべて源泉徴収税額（復興特別所得税及び特別徴収される住民税を含む。）を控除する前の金額である。

1 特定公社債の利子　　　　　　　　　　　25,000円

2 J組合債の利子　　　　　　　　　　　　51,000円

3 公募株式等投資信託の収益の分配　　　　135,000円

　　これは、本年8月に支払いを受けたものである。

4 K株式（非上場株式）の配当　　　　　　187,500円

　　これは、本年10月に支払いを受けたものである。

5 L株式（非上場株式）の配当　　　　　　281,250円

　　これは、本年3月に支払いを受けたものである。

6 M株式（上場株式）の配当　　　　　　　200,000円

　　これは、本年11月に支払いを受けたものであり、M株式の持株割合は3％未満である。

【資料Ⅳ】

甲は、N株式（非上場株式）3,000株を所有していたが、N株式について本年5月に資本の払戻しとして540,000円（復興特別所得税を含む源泉徴収税額を控除する前の金額）の支払いを受けている。

なお、払戻し直前のN株式1株当たりの資本金等の額は500円、払戻等割合は0.200であり、また、N株式1株当たりの取得価額は300円である。

【資料Ⅴ】

甲は、本年中に次の株式の譲渡をしている。

1　O株式（上場株式）の譲渡

これは、某証券会社に開設した特定口座を通じて譲渡したものであり、O株式は特定口座内保管上場株式に該当する。

なお、この譲渡につき某証券会社から報告を受けた所得金額は670,000円であるが、甲はこの口座について「特定口座源泉徴収選択届出書」を提出しているため、上記金額について102,610円の源泉徴収がされている。

2　Q株式（上場株式）の譲渡

Q株式は、平成25年10月に3,130,000円で取得したもので、その持株すべてを本年4月に4,877,000円で譲渡したものである。

なお、甲は、今回の譲渡に際して譲渡費用40,000円を支払っている。

【資料Ⅵ】

甲は、本年中に家計費から次のものを支払っている。

1　社会保険料　　　　　　　　　　　　　　　1,150,250円

これは、甲及び甲と生計を一にする親族に係るものであり、【資料Ⅰ】の役員報酬から控除された金額を含んだ金額である。

2　医療費　　　　　　　　　　　　　　　　　695,000円

これは、甲が交通事故により負傷したことによる治療費72,000円（【資料Ⅱ】付記事項2(1)④参照）と甲と生計を一にする親族に係る医療費623,000円の合計である。

3　生命保険料　　　　　　　　　　　　　　　75,000円

これは、甲を保険契約者（被保険者）、妻を保険金受取人とするR生命保険契約（一般）に係る保険料である。

なお、この契約は、平成24年中に契約されたものである。

【資料Ⅶ】

　本年12月31日現在、甲と生計を一にし、かつ同居している親族及びその親族の本年分の所得の状況は、次のとおりである。

1　妻（63歳）　　　　所得はなかった。

2　長男（30歳）　　　青色事業専従者給与として甲から2,700,000円の支払いを受けている。
　　　　　　　　　　　なお、この金額は【資料Ⅱ】付記事項1(3)の届出書に記載された範囲内のもので、労務の対価として相当なものであり、【資料Ⅱ】の営業諸経費に含まれている。

3　甲の母（85歳）　　所得はなかった。なお、特別障害者に該当する。

《参　考》

○　減価償却資産の償却率表（抄）

法定耐用年数	4年	5年	6年	30年
定額法による償却率	0.250	0.200	0.167	0.034
定率法による償却率	0.500	0.400	0.333	0.067

○　給与所得の速算表（抄）

給与の収入金額		給　与　所　得　の　金　額	
から	まで		
円	円		
551,000	1,618,999	給与の収入金額から550,000円を控除した金額	
1,619,000	1,619,999		1,069,000円
1,620,000	1,621,999		1,070,000円
1,622,000	1,623,999		1,072,000円
1,624,000	1,627,999		1,074,000円
1,628,000	1,799,999	給与の収入金額を4で割って千円未満を切り捨てた金額（A）	「A×2.4＋100,000円」で求めた金額
1,800,000	3,599,999		「A×2.8－80,000円」で求めた金額

問題
9

問題

－53－

○　所得税の速算表

課　税　総　所　得　金　額　等	税　　率	控　　除　　額
1,950,000円以下	5 %	－　円
1,950,000円超　～　3,300,000円以下	10%	97,500円
3,300,000円超　～　6,950,000円以下	20%	427,500円
6,950,000円超　～　9,000,000円以下	23%	636,000円
9,000,000円超　～　18,000,000円以下	33%	1,536,000円
18,000,000円超　～　40,000,000円以下	40%	2,796,000円
40,000,000円超	45%	4,796,000円

⇨解答：143ページ

問 題 10

次の資料に基づき、居住者甲（中小事業者に該当する。以下「甲」という。）の令和7年（以下「本年」という。）分の確定申告により納付すべき所得税及び復興特別所得税の額を、各種所得の金額、課税標準、所得控除額等その計算の過程を明らかにして計算しなさい。

なお、取扱いに選択の余地があるものについては、そのうち最も有利となるものを選択するものとし、有利であるかどうかの判断は、本年分の申告納税額への影響のみにより行うものとする。

また、解答に当たり、消費税については考慮しないものとする。

〔資料Ⅰ〕

甲は平成27年から小売業を営んでおり、甲が作成した本年末現在の小売業に係る残高試算表は、次のとおりである。

残 高 試 算 表

令和7年12月31日 　　　　　　（単位：円）

現 金 及 び 預 金	36,155,200	支 払 手 形	1,300,000
受 取 手 形	2,400,000	買 掛 金	4,300,000
売 掛 金	3,800,000	未 払 金	98,000
未 収 金	40,000	減価償却累計額	14,992,667
年初商品棚卸高	9,280,000	元 入 金	45,745,498
建 物	44,000,000	売 上 高	70,521,600
器 具 及 び 備 品	240,000	不動産売却収入	42,000,000
土 地	38,000,000	保 険 金 収 入	12,800,000
当 年 仕 入 高	38,900,000	雑 収 入	3,295,000
営 業 諸 経 費	21,208,000	事 業 主 借	1,592,435
事 業 主 貸	2,622,000		
	196,645,200		196,645,200

（付記事項）

1. 甲は本年より青色申告の承認を受けようと思い、本年3月3日に令和6年分の確定申告書とともに「青色申告承認申請書」を納税地の所轄税務署長に提出しているが、本年末現在、納税地の所轄税務署長から何らの通知も受けていない。

　　なお、甲は帳簿書類を備え付けて、これに甲の営む業務に係る一切の取引について正規の簿記の原則に従った複式簿記による記帳等を行い、電子申告する予定である。

2. 棚卸資産の評価方法は届出をしていない。

3．減価償却資産の償却方法は届出をしていない。

4．売上高には、年末大売出しによる売上高1,800,000円が含まれている。

これは、店内の全商品を定価の4割引で販売したことによるものである。

5．不動産売却収入は、本年3月に倉庫及びその敷地を売却したことによるものであり、その内訳は倉庫4,000,000円、敷地38,000,000円である。

6．保険金収入は、本年7月に店舗で発生した火災により生じた店舗及び店舗内の商品の損害を補てんするものとして損害保険会社から受けたものであり、その内訳は店舗8,000,000円、商品4,800,000円である。

7．雑収入には、次のものが含まれている。

(1) 仕入割戻　　　　　　　160,000円

これは、本年中の仕入について、仕入先と取り決めた算定基準に従い計上したものであるが、このうち40,000円は、本年末現在未収である。

(2) 災害見舞金　　　　　　200,000円

これは、甲が上記6の火災に遭ったことにより、取引先から受けたもので、社会通念上相当な金額の範囲内のものであると認められる。

8．事業主借の内訳は、次のとおりである。

なお、甲の所有する株式で、持株割合が3％以上となるものはない。

(1) A株式の配当金　　　　　128,000円

これは、証券取引所に上場しているA株式会社（内国法人である。）から本年7月に支払いを受けたもので、上記金額は、源泉徴収税額（住民税を含む。）控除前の金額である。

(2) B株式の配当金　　　　　158,400円

これは、B株式会社（内国法人である。上場会社ではない。）から支払いを受けたもので、上記金額は、源泉徴収税額控除前の金額である。

(3) 令和6年分所得税の還付金等　　377,400円

これは、令和6年分の所得税の還付金370,000円及びこれに係る還付加算金7,400円の合計額である。

(4) 生命保険契約に基づく年金　　928,635円

これは、生命保険契約に基づきD生命保険会社から本年中に支払いを受けたもので、上記金額は、源泉徴収税額31,365円控除後の手取額である。

なお、この生命保険契約により甲が払い込んだ保険料の総額は6,480,000円であり、年金の支給期間は10年、年金支給総額は9,600,000円である。

9．受取手形のうち800,000円、売掛金のうち2,000,000円は、E商店に対するものであるが、E商店は、債務超過の状態が数年間続いていたため、本年11月に民事再生法の規定による再生手続開始の申立てを行っている。

10. 未収金は、仕入割戻に係るものである。

11. 有形減価償却資産に関する事項は、次のとおりである。

なお、これらの有形減価償却資産に係る本年分の償却費は計上されていない。

資　　産	事業供用年月	取　得　価　額	年初未償却残額	法　定耐用年数	償却率	
					旧定額法	定額法
店　　　舗	H30.11	36,000,000円	24,900,000円	20年	0.050	0.050
倉　　　庫	H26.4	8,000,000円	4,107,333円	15年	0.066	0.067
器具備品F	R7.10	240,000円	——円	4年	0.250	0.250

（注1）店舗は、本年7月に火災によりその一部が焼失している。

この火災直後の店舗の時価は14,000,000円であり、甲は同月中に15,000,000円の費用をかけて修繕を行い、本年8月から事業の用に供している（下記14(2)参照）。

（注2）倉庫は、その敷地とともに平成26年4月に取得し、以後令和5年11月まで家事用として使用していたものを令和5年12月から事業の用に供したものであるが、本年3月にその敷地とともに譲渡している。

なお、上記表中の年初未償却残額は、倉庫の取得価額から、家事用として使用していた期間の減価の額及び事業の用に供した後の期間の償却費の額の累積額の合計額を控除した適正額である。

（注3）器具備品Fは、新品のレジスターである。

12. 土地の内訳は、次のとおりである。

(1) 店舗の敷地　　　　　　　　　　20,000,000円

(2) 倉庫の敷地　　　　　　　　　　18,000,000円

倉庫の敷地は、特定事業用資産の買換え特例の対象となる地域に所在するもので、本年3月に倉庫とともに譲渡している。

なお、課税の繰延割合は80%である。

13. 当年仕入高のうちには、本年7月に店舗で発生した火災により損害を受けたため、廃棄処分としたものが3,800,000円含まれている。

14. 営業諸経費のうちには、次のものが含まれている。

(1) 海外渡航費　　　　　　　　　　544,000円

これは、本年2月に海外雑貨の買い付けのために、長男を同伴してフランスに渡航した際の往復の旅費360,000円及び滞在費184,000円の合計額であり、現地での滞在期間は8日間である。

なお、長男の同伴は、長男がフランス語に堪能であったためであり、長男に係る費用は海外渡航の目的を達成するために必要であったものと認められる。

また、甲及び長男は、8日間の滞在期間のうち、2日間を市街観光にあてている。

(2) 店舗の修繕費　　　　　　　　　15,000,000円

　　これは、本年7月の火災によりその一部が焼失した店舗の修繕のために要した費用である。

　　なお、甲はこの店舗を修繕後、本年8月から事業の用に供している。

(3) 売上割戻　　　　　　　　　　　624,000円

　　これは、本年中の売上について販売先に通知した金額を計上したものであるが、このうち本年12月中の売上に係る割戻額98,000円は、本年末現在未払である。

　　なお、売上割戻の算定基準は、販売数量によっているが、販売先に明示していない。

(4) 損害賠償金　　　　　　　　　　100,000円

　　これは、本年12月に甲が商品配達中に通行人と接触事故を起こし、通行人が負傷したため、その治療費として相手方に申し出た金額を計上したものである。

　　なお、この接触事故に関し、甲に故意又は重大な過失はなく、本年末現在、損害賠償金の総額は確定していない。

(5) 倉庫及びその敷地の譲渡費用　　1,260,000円

　　これは、本年3月に倉庫及びその敷地を譲渡する際に直接要した費用の額を計上したものである。

　　なお、この費用を倉庫に係るものとその敷地に係るものとに区分することは困難である。

15. 事業主貸の内訳は、次のとおりである。

(1) 中小企業倒産防止共済の掛金　　240,000円

　　これは、中小企業基盤整備機構が行う中小企業倒産防止共済法第2条第2項に規定する共済契約に係る掛金で、本年中に支出したものである。

(2) 確定拠出型年金の掛金　　　　　432,000円

　　これは、確定拠出年金法第55条第2項第4号に規定する個人型年金加入者掛金で、本年中に支出したものである。

(3) 社会保険料　　　　　　　　　　768,000円

　　これは、甲及び甲と生計を一にする親族に係る社会保険料で、本年中に支出したものである。

(4) 生命保険料　　　　　　　　　　186,000円

　　これは、甲を保険契約者及び被保険者、保険金受取人を甲の妻とする生命保険契約に係る保険料で、本年中に支出したものである。（平成23年以前に契約したものである。）

(5) 個人年金保険料　　　　　　　　96,000円

　　これは、甲を保険契約者及び年金受取人とする個人年金保険契約に係る保険料で、本年中に支出したものである。（平成23年以前に契約したものである。）

(6) 社会福祉法人に対する寄附金　　500,000円

　　この寄附金については、所得控除を適用するものとする。（下記(7)において同じ。）

(7) 某政党に対する寄附金　　　　　　400,000円

　　これは、政治資金規正法第4条第4項に規定する政治活動に関する寄付で、同法第17条の規定による報告書により報告されたものである。

　　なお、これにより甲に特別の利益が及ぶものではない。

16. 本年末における在庫商品の最終仕入原価法により評価した金額は8,960,000円、正味売却価額は8,560,000円である。

〔資料Ⅱ〕

　甲は、本年3月に譲渡した倉庫及びその敷地の売却代金に自己資金を加え、本年4月に土地を取得し、この土地の上にアパートを建設して本年9月から貸付けの用に供している。

　甲が、取得した土地及び建設したアパートに関する事項は、次のとおりである。

1. 土地に関する事項

　(1) 取得対価の額　　　　　　　　45,500,000円

　(2) 登記費用　　　　　　　　　　460,000円

　　これは、取得した土地の登記に要した登録免許税及び司法書士に対する手数料の合計額で、本年9月に支出している。

　(3) 土地の取得に係る仲介手数料　1,555,000円

　　これは、不動産業者に対するもので、本年4月に支出している。

2. アパート（10室）に関する事項

　(1) 法定耐用年数　　　　　　　　　　　20年

　　※　耐用年数20年に応ずる定額法償却率 … 0.050

　(2) 取得対価の額　　　　　　　　42,800,000円

　(3) 借入額　　　　　　　　　　　28,000,000円

　　これは、本年8月に借り入れたもので、甲は本年中にこれに係る利息210,000円（このうち貸付け開始前の期間に係るもの42,000円）を支出している。

　　なお、本年末における借入金残高は27,400,000円である。

　(4) 登記費用　　　　　　　　　　389,000円

　　これは、取得したアパートの登記に要した登録免許税及び司法書士に対する手数料の合計額で、本年9月に支出している。

　(5) 賃貸料収入　　　　　　　　　3,920,000円

　　甲は、アパートの賃貸料については、その月分を前月の末日までに受領することとしているが、経理上は前受未収の経理を行って、貸付期間に対応した金額を賃貸料収入に計上することとしている。

　　そのため、上記金額には、本年12月に受領した令和8年1月分の賃貸料980,000円が含まれていない。

(6) 敷金・礼金収入　　　　　　　2,940,000円

　甲は、賃貸借契約締結の際に、敷金として賃貸料の額の2月分、礼金として賃貸料の額の1月分を受領することとしており、上記金額は、本年中に受領した敷金の額1,960,000円及び礼金の額980,000円の合計額を計上したものである。

　なお、敷金については、明渡時にその20%相当額を償却金として償却し、残額を返還することとしている。

(7) アパート賃貸に係る諸経費　　　2,130,000円

　これは、アパートの賃貸に関し、上記事項の他に本年中に支出したものであり、この金額には、入居者幹旋に係る手数料490,000円が含まれている。

　これは、アパートの入居者幹旋を依頼した不動産業者に支払ったものである。

〔資料Ⅲ〕

甲は、本年中に次の有価証券を譲渡している。

なお、甲による有価証券の譲渡は、証券業者への売委託により行われたもので、すべて譲渡所得に該当するものである。

銘　　柄	取得年月	取 得 価 額	譲 渡 価 額	備　　考
H　株　式	R 5 . 2	1,200,000円	1,950,000円	（注1）
I　株　式	R 6 . 12	972,000円	1,068,000円	（注2）

　（注1）H株式（上場株式）は、令和5年2月に1株当たり800円で1,500株取得したものを本年7月に1株当たり1,300円で全株譲渡したものである。

　　　　　なお、H株式は銀行からの借入金より取得したもので、甲は本年7月にこの借入金を、これに係る本年分の利息24,000円とともに全額返済している。

　　　　　また、H株式会社からは、本年6月に配当金16,000円（源泉徴収税額（住民税を含む。）控除前の金額）を受けている。

　（注2）I株式（上場株式）は、令和6年12月に1株当たり1,620円で600株取得したものを本年2月に1,780円で全株譲渡したものである。

〔資料Ⅳ〕

本年末現在、甲（年齢61歳）と生計を一にし、かつ、同居している親族及びその所得の状況等は次のとおりである。

(1) 甲の妻（年齢51歳）パートタイマーによる給与収入が1,030,000円ある。

(2) 長　男（年齢23歳）本年中に所得はない。

(3) 長　女（年齢16歳）本年中に所得はない。

(4) 甲の母（年齢83歳）常に就床を要し複雑な介護を要する者に該当し、本年中に所得はない。

《参考資料》

1．給与所得控除額

収　入　金　額	給　与　所　得　控　除　額
180万円以下	収入金額 × 40％ － 10万円（最低55万円）
180万円超　～　360万円以下	（収入金額 － 180万円）× 30％ ＋ 62万円
360万円超　～　660万円以下	（収入金額 － 360万円）× 20％ ＋ 116万円
660万円超　～　850万円以下	（収入金額 － 660万円）× 10％ ＋ 176万円
850万円超	195万円

2．所得税の速算表

課　税　総　所　得　金　額　等	税　率	控　除　額
1,950,000円以下	5％	－ 円
1,950,000円超　～　3,300,000円以下	10％	97,500円
3,300,000円超　～　6,950,000円以下	20％	427,500円
6,950,000円超　～　9,000,000円以下	23％	636,000円
9,000,000円超　～　18,000,000円以下	33％	1,536,000円
18,000,000円超　～　40,000,000円以下	40％	2,796,000円
40,000,000円超	45％	4,796,000円

⇨解答：152ページ

問題
10

問題

解答編

※ □で囲まれた数字は配点を示す。

I 各種所得の金額

摘　要	金　額	計　算　過　程　（単位：円）
利 子 所 得	0	合同運用　107,500（源分）[2]
配 当 所 得	27,500 [2]	(1)　収入金額 　　A株　187,500 (2)　負債利子 　　160,000 (3)　(1)−(2)＝27,500
不 動 産 所 得	665,000 [2]	(1)　総収入金額 　　3,500,000 (2)　必要経費 　　2,835,000 (3)　(1)−(2)＝665,000
事 業 所 得	7,184,533	(1)　総収入金額（合計　50,940,000）[2] 　①　売上高 　　49,875,000 　②　雑収入 　　4,967,000−107,500−187,500−107,000−3,500,000 　　＝1,065,000 (2)　必要経費（合計　43,755,467） 　①　売上原価 　　4,520,000＋33,245,000−3,952,000＝33,813,000 　②　営業費 　　12,000,000−160,000−2,950,000＝8,890,000 　③　減価償却費（合計　1,052,467）[2] 　　イ　店　舗 　　　22,000,000×0.9×0.046＝910,800 　　ロ　備　品 　　　$1,700,000×0.200×\dfrac{5}{12}＝141,667$

		(3) (1)－(2)＝7,184,533
給　与　所　得	2,440,000 ②	(1)　収入金額 3,600,000 (2)　給与所得控除額 (3,600,000－1,800,000)×30％＋620,000＝1,160,000 (3) (1)－(2)＝2,440,000
退　職　所　得	3,150,000 ②	(1)　収入金額 15,000,000 (2)　退職所得控除額 　　　　　　　　　　　　　　　　　※ 8,000,000＋700,000×(21年－20年)＝8,700,000 ※　20年 2 カ月 ⇨ 21年 (3) $\{(1)-(2)\} \times \dfrac{1}{2} = 3,150,000$
山　林　所　得	50,000 ②	(1)　総収入金額 3,500,000 (2)　必要経費 2,950,000 (3)　特別控除額 (1)－(2) ≧ 500,000　　　∴　500,000 (4) (1)－(2)－(3)＝50,000
譲　渡　所　得 （総 合 長 期）	85,000	Ⅰ　総　合 (1)　譲渡損益 　①　総　短（骨とう品） 　　　2,000,000－(1,770,000＋95,000)＝135,000 　②　総　長（書画） 　　　950,000－(450,000＋50,000)＝450,000 (2)　特別控除（やり方 ②） 　　135,000－135,000＝ 0（総短） 　　450,000－(500,000－135,000)＝85,000（総長）

（分 離 長 期）	9,280,000	Ⅱ　土地建物等
		(1)　譲渡損益
		①　分　短（別荘）
		$3,540,000 - (8,560,000 + 180,000) = \triangle 5,200,000$ ②　（※）
		※　$10,000,000 - 10,000,000 \times 0.9 \times 0.040^{*1} \times 4 \text{年}^{*2}$
		$= 8,560,000$
		＊1　$17 \text{年} \times 1.5 = 25.5 \text{年} \Rightarrow 25 \text{年} \cdots 0.040$
		＊2　R3.4〜R7.6 ⇨ 4年（6月未満切捨）
		②　分　長（別荘の敷地）
		$31,000,000 - (15,470,000 + 1,050,000) = 14,480,000$
		(2)　内部通算
		$14,480,000 - 5,200,000 = 9,280,000$（分長）
一 時 所 得	0 ②	(1)　総収入金額
		報労金　　18,000
		(2)　支出した金額
		0
		(3)　特別控除額
		(1)－(2)＝18,000 ＜ 500,000　　∴　18,000
		(4)　(1)－(2)－(3)＝0
雑 所 得	172,000 ②	(1)　総収入金額（合計　172,000）
		貸付金利子　　107,000
		還付加算金　　65,000
		(2)　必要経費
		0
		(3)　(1)－(2)＝172,000

Ⅱ　課税標準

摘　　要	金　　額	計　算　過　程　　（単位：円）
総 所 得 金 額	10,531,533	$27,500 + 665,000 + 7,184,533 + 2,440,000 + 172,000 + 85,000$
長期譲渡所得の金額	9,280,000	$\times \dfrac{1}{2} = 10,531,533$
山 林 所 得 金 額	50,000	
退 職 所 得 金 額	3,150,000	
合　　　計	23,011,533	

Ⅲ　所得控除額

摘　　要	金　　額	計　算　過　程　　　　（単位：円）
雑　損　控　除	0	(1)　損失の金額 　　妻　450,000 ≦ 480,000　　　∴　適用あり 　　(7,800,000－1,500,000－5,000,000)＋30,000＋(950,000 　　－200,000)＋200,000＝2,280,000 ② (2)　足切限度額 　　23,011,533×10%＝2,301,153 (3)　(1)－(2) ＜ 0　　　∴　　0
社会保険料控除	882,400 ②	580,000＋302,400＝882,400
小規模企業共済 等 掛 金 控 除	150,000 ②	
生命保険料控除	49,750 ②	(1)　一般分 　　85,000 ＞ 80,000　　　∴　　40,000 (2)　介護医療分 　　9,750 ≦ 20,000　　　∴　　9,750 (3)　(1)＋(2)＝49,750
地震保険料控除	50,000 ②	52,000 ＞ 50,000　　　∴　　50,000
寄 附 金 控 除	325,000 ②	※ 327,000－2,000＝325,000 　※　23,011,533×40% ≧ 327,000　　　∴　　327,000
配 偶 者 控 除	0 ②	適用なし
配偶者特別控除	0	適用なし
扶　養　控　除	1,210,000 ②	(1)　長男　4,350,000 ＞ 480,000　　　∴　　非該当 (2)　長女　1,030,000－550,000＝480,000 ≦ 480,000 　　　　　　∴　特定扶養親族 (3)　次女　16歳未満　　　∴　非該当 (4)　母　無収入　　　∴　同居老親等 　　630,000＋580,000＝1,210,000
障 害 者 控 除	750,000 ②	次女　同居特別障害者
基　礎　控　除	480,000	23,011,533 ≦ 24,000,000　　　∴　　480,000
合　　　計	3,897,150	

IV 課税所得金額

摘　要	金　額	計　算　過　程　（単位：円）
課税総所得金額	6,634,000	10,531,533－3,897,150＝6,634,000
課税長期譲渡所得金額	9,280,000	
課税山林所得金額	50,000	
課税退職所得金額	3,150,000	〔千円未満切捨〕 [2]

V 納付税額

摘　要	金　額	計　算　過　程　（単位：円）
算　出　税　額	2,511,300	(1)　課税総所得金額に対する税額 　　　6,634,000×20％－427,500＝899,300 (2)　課税長期譲渡所得金額に対する税額 　　　9,280,000×15％＝1,392,000 (3)　課税山林所得金額に対する税額（やり方 [2]） 　　　$50,000×\frac{1}{5}＝10,000$ 　　　10,000×5％×5＝2,500 (4)　課税退職所得金額に対する税額 　　　3,150,000×10％－97,500＝217,500 (5)　(1)＋(2)＋(3)＋(4)＝2,511,300
配　当　控　除　額	1,375 [2]	27,500×5％＝1,375
基　準　所　得　税　額	2,509,925	
復興特別所得税の額	52,708	2,509,925×2.1％＝52,708
所　得　税　及　び 復興特別所得税の額	2,562,633	
源　泉　徴　収　税　額	3,425,887 [2]	38,287＋324,600＋3,063,000＝3,425,887
申　告　納　税　額	△863,254	

【配　点】　[2]×25カ所　　合計50点

解答への道

1. 〔資料Ⅰ〕関係

(1) 合同運用信託の収益の分配（法23、措法3）

利子所得で課税される。

なお、合同運用信託の収益の分配は、課税方法が源泉分離課税とされるため、他の総合課税される所得（配当所得、不動産所得、事業所得、給与所得等）とは合算せず、その源泉徴収税額について、申告納税額の計算上精算も行わないことに注意する。

(2) 剰余金の配当（法24）

配当所得で課税される。

なお、配当所得は、課税方法が原則総合課税とされるため、他の総合課税される所得（不動産所得、事業所得、給与所得等）と合算して超過累進税率により課税され、その源泉徴収税額については、申告納税額の計算上精算されることになる。

(3) 友人に対する貸付金の利子（法35、基通35-1）

雑所得で総合課税される。

なお、貸付金の利子については「利子」ではあるが、利子所得とはならずに、雑所得等となる。

また、貸付金の利子は源泉徴収されないことに注意する。

(4) 山林の譲渡対価（法32）

山林の譲渡に係る所得は、その譲渡した山林の所有期間に応じて所得区分が異なる。

所有期間が5年を超えるものについては、山林所得として課税される。

所有期間が5年以下のものについては、事業所得又は雑所得として課税される。

なお、山林所得は総収入金額（譲渡した山林の譲渡対価）から必要経費（譲渡した山林に係る経費の合計額）を控除し、その残額から50万円の特別控除額を控除して計算する。

(5) 減価償却費（法49）

① 店舗は、平成19年3月31日以前に取得した資産であるため、旧定額法により計算する。

> 取得価額 × 0.9 × 旧定額法償却率

② 備品は、平成19年4月1日以後に取得した資産であるため、定額法により計算する。

> 取得価額 × 定額法償却率

なお、本年8月に取得しているため、5カ月分を減価償却費として計上する。

2．〔資料Ⅱ〕関係

(1) 総収入金額（法26）

　　不動産所得は、不動産等の貸付けによる収入を計上する。

　　なお、敷金は預り金であるため、返還しないものを除き収入には計上しない。

(2) 不動産所得の金額

　　不動産所得は、総収入金額から必要経費を控除し、その残額から青色申告特別控除額を控除して計算する。

　　なお、本問では、甲が青色申告者ではないため、青色申告特別控除の適用はない。

3．〔資料Ⅲ〕関係

(1) 給与・賞与（法28）

　　給与所得で課税される。

　　なお、給与所得として課税されるものは、一定額の源泉徴収が行われ、その金額は、申告納税額の計算上精算される。

　　また、給与所得の金額は、収入金額から給与所得控除額を控除して計算する。給与所得控除額は参考資料で与えられるが、最低控除額の55万円は暗記しておくこと。

(2) 退職金（法30）

　　退職所得で課税される。

　　なお、退職所得として課税されるものは、一定額の源泉徴収が行われ、その金額は、原則として申告納税額の計算上精算される。

　　また、退職所得の金額は、収入金額から退職所得控除額を控除して計算する。退職所得控除額は勤続年数に応じ、次の表（基本的には暗記）により計算する。この場合において、勤続年数の1年未満の端数は切り上げること。

勤続年数【A】	退職所得控除額
20年以下	40万円 × 【A】（最低80万円）
20年超	800万円 ＋ 70万円 ×（【A】 － 20年）

4．〔資料Ⅳ〕関係

(1) 譲渡損益

　　資産（棚卸資産等、山林その他一定のものを除く。）の譲渡による所得は譲渡所得として課税される。この場合において、その譲渡した資産が土地建物等又は株式等の場合には、他の所得とは合算しない分離課税とされ、その他の資産の場合には総合課税とされる。

　　譲渡所得の計算は資産の譲渡益を計算するところから始まり、譲渡益は譲渡対価から取得費及び譲渡費用の額の合計額を控除して計算する。

なお、本問では、取得価額が資料に与えられているが、譲渡所得で控除するのは取得費であるため、取得費の計算を行わなければならない。

> 別　荘 ⇒ 減価する資産であるため、取得価額から価値の減少分を考慮した金額を控除した金額が取得費となる。
>
> その他 ⇒ 減価しない資産であるため、取得価額が取得費となる。

① 別　荘（措法32）

本年1月1日における所有期間が5年以下の建物の譲渡であるため、分離短期譲渡所得となり、30%の税率で課税される。

なお、取得費の計算においては、別荘が非業務用の資産であるため、減価の額をもって価値の減少分を認識することになる。

※ 減価の額の計算方法

> 取得価額 × 0.9 × 旧定額法償却率^{*1} × 非業務供用期間の年数^{*2}

> *1　業務の用に供されているものよりも、減価の度合が少ないと考えられるため、同種減価償却資産の法定耐用年数の1.5倍の耐用年数（1年未満切捨）の旧定額法償却率による。
>
> *2　6月未満……切捨、6月以上……切上

② 別荘の敷地（措法31）

本年1月1日における所有期間が5年超の土地の譲渡であるため、分離長期譲渡所得となり、15%の税率で課税される。

③ 書　画

保有期間5年超の土地建物等以外の資産の譲渡であるため、総合長期譲渡所得となる。

④ 骨とう品

保有期間5年以下の土地建物等以外の資産の譲渡であるため、総合短期譲渡所得となる。

(2) 内部通算

ある資産に譲渡損が生じた場合には、他の資産の譲渡益と通算することになる。この場合には、分離課税とされる資産（土地建物等）と総合課税される資産（土地建物等以外）どうしで通算を行い、分離課税される資産と総合課税される資産とで通算を行うことはできない。

本問では、別荘に譲渡損が生じているため、別荘の敷地と内部通算を行う。

なお、仮に内部通算を行っても控除しきれない損失がある場合には、次の取扱いとなる。

> 総合課税される損失 ⇒ 課税標準の計算上、他の各種所得の金額と通算する（損益通算）。
>
> 分離課税される損失 ⇒ 課税標準の計算上、生じなかったものとみなされる。

(3) 50万円特別控除

　内部通算を行った後に、総合課税される譲渡益が残っている場合には、50万円の特別控除を行う。

　なお、特別控除は総合課税される資産の譲渡益からのみ控除し、分離課税される資産の譲渡益からは控除できない。

　また、総合短期と総合長期の両方に譲渡益が生じている場合には、総合短期の譲渡益から控除し、その後総合長期の譲渡益から控除する。

5．〔資料Ⅴ〕関係

(1) 遺失物拾得者の報労金（基通34－1）

　一時所得として課税される。

　なお、一時所得の金額は総収入金額から支出した金額を控除し、その残額から50万円の特別控除額を控除する。

(2) 還付加算金（基通35－1）

　雑所得（その他）として課税される。

　なお、雑所得の金額は公的年金等とその他とに区分した上で、それぞれ次の算式で計算され、最後に両者の金額を合計する。

```
公 的 年 金 等 ⇨ 収 入 金 額 － 公的年金等控除額
そ　　 の　　 他 ⇨ 総収入金額 － 必要経費
```

6．〔資料Ⅵ〕関係

(1) 居住用家屋及び家財（法72）

　居住用家屋及び家財は生活に通常必要な資産であり、かつ、甲所有のものであるため、火災による損失は甲の所得税の計算において雑損控除の対象となる。

(2) 宝　石

①　宝石は、損失時の時価が30万円以下であれば生活に通常必要な資産に該当し、30万円超であれば生活に通常必要でない資産に該当する。本問では、時価が20万円であるため、生活に通常必要な資産に該当し火災による損失は雑損控除の対象となる。

②　所有者が甲の同一生計親族である場合に、当該親族の課税標準の合計額（合計所得金額ではない。）が48万円以下であるときは、甲の所得税の計算において雑損控除の適用を受け、48万円超のときは親族本人の所得税の計算において雑損控除の適用を受けることになる。

　本問では、妻の課税標準の合計額が45万円であるため、妻所有の宝石の損失は甲の雑損控除により考慮される。

(3) 損失額の計算

雑損控除における損失額の計算は次のとおりである。

> 被害直前の時価
> （又は取得費相当額）　－　被害直後の時価　－　廃材価額　－　保険金等　＋　災害等関連支出の額

(4) 足切限度額

雑損控除の計算は、損失額から甲の課税標準の合計額の10%に相当する足切限度額を控除して行う。

なお、課税標準の合計額は、損失の繰越控除を考慮した後の金額であり、合計所得金額は損失の繰越控除を考慮する前の金額であることに注意する。

7．〔資料Ⅶ〕関係

(1) 社会保険料控除（法74）

国民健康保険の保険料及び国民年金の掛金は社会保険料控除の対象となる。

なお、控除額は、支出した保険料の全額である。

(2) 小規模企業共済等掛金控除（法75）

心身障害者扶養共済制度に基づく掛金は、小規模企業共済等掛金控除の対象となる。

なお、控除額は、支出した保険料の全額である。

(3) 生命保険料控除（法76）

次の生命保険料は生命保険料控除の対象となる。

> ①　一般の生命保険料
>
> ②　個人年金保険料
>
> ③　介護医療保険料

なお、平成24年以後に契約した場合の控除額は、上記の区分ごとに次の算式で計算した金額の合計額となる。

支払った生命保険料	控　　除　　額
20,000円以下	全　　額
20,000円超　40,000円以下	20,000円　＋　（支払保険料　－　20,000円）　× $\frac{1}{2}$
40,000円超　80,000円以下	30,000円　＋　（支払保険料　－　40,000円）　× $\frac{1}{4}$
80,000円超	40,000円

(4) 地震保険料控除（法77）

　居住用家屋及び家財を保険目的とする地震保険契約に係る保険料は、地震保険料控除の対象となる。

　なお、控除額は、支出した保険料の全額（5万円を限度）である。

(5) 寄附金控除（法78）

　地方公共団体に対する寄附金など、特定寄附金に該当するものは寄附金控除の対象となる。

　なお、控除額は、寄附金控除の対象となる寄附金（特定寄附金）から2,000円を控除した金額となる。

　※　特定寄附金は、課税標準の合計額の40％が限度とされる。

8．〔資料Ⅷ〕関係

(1) 配偶者控除（法83）

　妻は、合計所得金額が48万円以下であるが、甲の合計所得金額が1,000万円を超えるため、控除対象配偶者には該当せず、配偶者控除の適用はない。

(2) 扶養控除（法84）

　① 長　男

　　合計所得金額が48万円を超えるため、扶養親族に該当しない。

　② 長　女

　　合計所得金額が48万円以下であり、年末現在における年齢が19歳であるため、特定扶養親族に該当する。

　　※　合計所得金額

　　　103万円（収入金額）－ 55万円（給与所得控除額）＝ 48万円（給与所得の金額）

　　　他に所得はないため、48万円が合計所得金額となる。

　③ 次　女

　　所得がないため、扶養親族に該当するが、年齢が15歳であるため、扶養控除の適用はない。

　④ 母

　　所得はなく、年齢が86歳であり、甲と同居しているため、同居老親等に該当する。

(3) 障害者控除（法79）

　扶養親族である次女が障害者であるため、障害者控除の適用が受けられる。

　なお、同居特別障害者であるため、控除額は75万円となる。

(4) 基礎控除（法86）

　甲の合計所得金額が2,400万円以下のため、控除額は48万円となる。

9．課税所得金額

　課税標準から、所得控除の合計額を控除し、その残額に千円未満の端数があるときはこれを切り捨てる。

10. 納付税額関係

(1) 算出税額（法89、措法31）

　① 課税総所得金額及び課税退職所得金額は、超過累進税率により計算する。

　② 課税長期譲渡所得金額は15％の比例税率により計算する。

　③ 課税山林所得金額は、5分5乗方式により計算する。

(2) 配当控除（法92）

　甲は、剰余金の配当に係る配当所得を有しているため、配当控除の適用がある。

　なお、控除額は、課税総所得金額等（課税山林所得金額及び課税退職所得金額以外の課税所得金額の合計額をいう。）から配当所得の金額を控除した金額が1,000万円を超えるため、配当所得の金額の5％相当額となる。

(3) 復興特別所得税について（復興財源確保法8～10、12、13）

　平成25年から令和19年までの25年間にわたり、居住者は復興特別所得税（「基準所得税額」の2.1％相当額）を、所得税と合わせて納付しなければならない。

　なお、基準所得税額は、「外国税額控除適用前の所得税額」とされているため、復興特別所得税額は、算出税額から外国税額控除以外の税額控除額を控除した金額の2.1％相当額とされる。

(4) 申告納税額

　金額が赤字（還付）の場合には、百円未満切捨は行わない。

I　各種所得の金額

摘　　　要	金　　額	計　算　過　程　　（単位：円）
事 業 所 得	6,418,840	(1)　総収入金額（合計　52,725,000）

(1)　総収入金額（合計　52,725,000）

①　当年売上高

$$44,800,000 + \overset{※}{180,000} = 44,980,000 \quad \boxed{2}$$

　※　$220,000 \times 70\% = 154,000 \ < \ 180,000$

　　　$\therefore \quad 180,000$

②　雑収入

$$8,090,000 - 45,000 - 300,000 = 7,745,000 \quad \boxed{2}$$

(2)　必要経費（合計　46,306,160）

①　売上原価

$$3,350,000 + 32,150,000 - 3,590,000 = 31,910,000 \quad \boxed{2}$$

②　営業費

$$13,801,039 - 315,000 - 150,000 - 350,000 - 6,500$$
$$- 300,000 - 380,000 = 12,299,539$$

③　固定資産税

$$315,000 + 105,000 + 108,000 = 528,000 \quad \boxed{2}$$

④　海外渡航費

$$150,000 + 200,000 \times \frac{5\,日 - 1\,日}{5\,日} = 310,000$$

⑤　給　与

$$200,000 \times \frac{1\,日}{5\,日} = 40,000$$

$$\left. \right\} \boxed{2}$$

⑥　利子税

$$6,500 \times \frac{18,000,000}{200,000 + 18,000,000 + 800,000}\,(0.95)$$

$$= 6,175 \quad \boxed{2}$$

⑦　アーケード負担金

$$300,000 \times \frac{5\,月}{\underset{※}{5\,年} \times 12\,月} = 25,000 \quad \boxed{2}$$

　※　$10\,年 \ > \ 5\,年 \qquad \therefore \quad 5\,年$

		⑧ 不動産取得税等
		80,000＋45,000＋115,000＝240,000 2
		⑨ 減価償却費（合計 947,446）
		イ 店 舗
		20,000,000×0.9×0.030＝540,000
		ロ 倉 庫
		$(8,000,000＋140,000)×0.042×\dfrac{8}{12}＝227,920$ 2
		ハ 車 両
		$(2,000,000－300,000)×0.167×\dfrac{7}{12}＝165,609$ 2
		ニ 備品Ｚ
		$500,000×0.167×\dfrac{2}{12}＝13,917$
		(3) (1)－(2)＝6,418,840
不 動 産 所 得	2,073,334	(1) 総収入金額（合計 4,307,534） 2
		① 家 賃
		3,387,534
		② 礼 金
		920,000
		(2) 必要経費（合計 1,584,200）
		① 管理費等
		1,380,000－150,000＝1,230,000 2
		② 減価償却費
		$(24,000,000＋150,000)×0.022×\dfrac{8}{12}＝354,200$
		(3) 青色申告特別控除額
		(1)－(2) ≧ 650,000 ∴ 650,000
		(4) (1)－(2)－(3)＝2,073,334

利 子 所 得	0	社債利子　134,375（源分）②
配 当 所 得	88,750 ②	(1)　収入金額 　　　156,250 (2)　負債の利子 　　　67,500 (3)　(1)－(2)＝88,750
譲 渡 所 得 （ 総 合 短 期 ）	△ 450,000	譲渡損益 　(1)　備品X（総短） 　　　45,000 ② 　(2)　事業用動産（総短） 　　　△495,000 　(3)　(1)＋(2)＝△450,000
一 時 所 得	220,000 ②	(1)　総収入金額 　　　馬　券　770,000 (2)　支出した金額 　　　馬　券　50,000 (3)　特別控除 　　　(1)－(2) ≧ 500,000　　∴　500,000 (4)　(1)－(2)－(3)＝220,000

Ⅱ　課税標準

摘　要	金　額	計　算　過　程　　　　　（単位：円）
総 所 得 金 額	8,350,924	損益通算（通算順序 ②） 　220,000－450,000＝△230,000（譲渡）
合　計	8,350,924	(6,418,840＋2,073,334＋88,750)－230,000＝8,350,924

Ⅲ　所得控除額

摘　要	金　額	計　算　過　程　（単位：円）
雑　損　控　除	244,908	(1)　損失額 　　妻　$1,000,000-550,000=450,000 \leqq 480,000$ 　　　　∴　適用あり 　　$9,250,000-5,450,000-4,000,000 < 0$　　∴　0 　　$0+50,000+(1,230,000-200,000)=1,080,000$　② (2)　足切限度額 　　$8,350,924×10\%=835,092$ (3)　$(1)-(2)=244,908$
社会保険料控除	500,000	
医 療 費 控 除	90,000　②	$150,000+(440,000-400,000)-100,000^{※}=90,000$ ※　$8,350,924×5\% > 100,000$　　∴　100,000
地震保険料控除	50,000	$62,000 > 50,000$　　∴　50,000
（寄附金）控除	75,000　②	$77,000^{※}-2,000=75,000$ ※　$8,350,924×40\% \geqq 77,000$　　∴　77,000
配 偶 者 控 除	380,000　②	$450,000 \leqq 480,000$　　∴　380,000
配偶者特別控除	0	適用なし
扶　養　控　除	1,210,000　②	(1)　長　男　無収入　∴　特定扶養親族 (2)　甲の母　無収入　∴　同居老親等 　　$630,000+580,000=1,210,000$
障 害 者 控 除	750,000　②	甲の母
基　礎　控　除	480,000	$8,350,924 \leqq 24,000,000$　　∴　480,000
合　計	3,779,908	

Ⅳ　課税所得金額

摘　要	金　額	計　算　過　程　（単位：円）
課税総所得金額	4,571,000	$8,350,924-3,779,908=4,571,000$　　〔千円未満切捨〕

V　納付税額

摘　　要	金　　額	計　算　過　程　　（単位：円）
算　出　税　額	486,700	課税総所得金額に対する税額 $4,571,000 \times 20\% - 427,500 = 486,700$
配　当　控　除　額	8,875 ☑	$88,750 \times 10\% = 8,875$
基　準　所　得　税　額	477,825	
復興特別所得税の額	10,034	$477,825 \times 2.1\% = 10,034$
所　得　税　及　び 復興特別所得税の額	487,859	
源　泉　徴　収　税　額	31,906 ☑	
申　告　納　税　額	455,900	〔百円未満切捨〕

【配　点】　☑×25カ所　　合計50点

1.〔資料 1〕関係

(1) 商品の贈与（法40、基通39－2）

　　棚卸資産を贈与（寄附）した場合には、通常の販売価額の70%相当額と仕入価額のいずれか大きい金額を収入金額に計上する。

(2) 事業付随収入（基通2－13、26－8、27－5）

　　事業の遂行上生じた取引先に対する貸付金の利子、従業員宿舎の使用料収入は、事業付随収入となる。

(3) 備品Xの譲渡（基通33－1の2、33－1の3）

　　備品Xは、令和5年に98,000円で取得しているため、同年において少額減価償却資産として全額必要経費に算入されている。

　　少額減価償却資産を譲渡した場合には、次の区分に応じてそれぞれの所得となる。

使用可能期間が1年未満のもの			事業所得
取得価額が10万円未満のもの及び一括償却資産としたもの	下記以外		
	業務の遂行上基本的に重要	反復継続譲渡	
		上記以外	譲渡所得

　　本問では、業務の遂行上基本的に重要であるが、反復継続して譲渡するものではないため、譲渡所得（令和5年に取得しているので総合短期）として課税される。この場合に取得費は、ゼロとなることに注意する。

(4) 国庫補助金（法42、令90）

　　国庫補助金の交付を受け、その交付目的に適合した資産を取得等し、国庫補助金の返還を要しないことがその年12月31日までに確定した場合には、次の取扱いとなる。

　① その国庫補助金等のうちその固定資産の取得等に充てた部分の金額は、その者の各種所得の金額の計算上、総収入金額に算入しない。

　② その固定資産の取得価額は、その固定資産の取得に要した金額等から上記①の総収入金額不算入額を控除した金額とする。

(5) 棚卸資産の取得価額（令103、104）

　　棚卸資産について、災害による著しい損傷、著しい陳腐化等が生じた場合には、その処分可能価額をもって評価替えすることができるが、単なる物価変動、過剰生産、建値の変更等により価額が低下した場合には、評価替えの特例の適用を受けることはできない。

　　本問では、過剰生産によるものであるため、低下後の価額は使用しない。

(6) 固定資産税（基通37-6）

固定資産税の必要経費算入時期は次のとおりである。

> 原　則 ⇒ 賦課決定により納付すべきことが具体的に確定したとき（1年分を算入する。）
> 特　例 ⇒ それぞれの納期ごと又は納付した日

この場合において、原則は翌年2月に納付する金額も本年分の必要経費とできるが、特例の場合には、翌年2月に納付する金額を本年分の必要経費とできないため、本問においては原則により取り扱う。

なお、前年においても特例により必要経費としており、その結果、本年2月に納付した金額が前年分の必要経費に算入されていないため、この金額も併せて本年分の必要経費に算入する。

(7) 家事関連費（法45）

業務の遂行上必要な部分が明らかにできない場合には、全額必要経費不算入となる。

(8) 海外渡航費（基通37-21）

直接の動機が商談（事業の遂行）のためであるので、次の算式により計算した金額を旅費として必要経費に算入する。

$$\text{往復の旅費} + \text{滞在費等} \times \frac{\text{事業の遂行上必要と認められる日数}}{\text{海外渡航の全日数}}$$

なお、本問では、海外渡航をした者が従業員であるため、旅費として必要経費に算入されない金額は、給与として必要経費に算入する。

(9) 利子税（令97①一）

不動産所得、事業所得、山林所得を生ずべき事業を営む居住者は、次の算式により計算した金額を、これらの所得の金額の計算上、必要経費に算入する。

$$\text{納付した利子税の額} \times \frac{\overset{\bullet\bullet}{\text{前年分の事業から生じた不動産所得の金額、}}\text{事業所得の金額及び山林所得の金額}}{\underset{\uparrow}{\text{前年分の各種所得の金額の合計額}}} \begin{bmatrix} \text{小数点2位} \\ \text{未満切上} \end{bmatrix}$$

> ① 赤字の所得の金額、給与所得の金額及び退職所得の金額を除く
> ② 総合長期譲渡所得の金額、一時所得の金額は2分の1後の金額
> ③ 分離課税の譲渡所得の金額は、措置法上の特別控除後の金額
>
> ※ 確定申告書記載額で計算（修正申告書又は更正通知書の記載額ではない。）

⑽　アーケード建設負担金（基通50－3、4、6）

　　繰延資産として、償却期間に応じて必要経費に算入する。

　　償却期間は耐用年数と5年のいずれか少ない期間であるため、5年により償却する。

　　なお、支出日と建設等着手日のいずれか遅いときから償却することに注意する。

⑾　取得に係る経費（基通37－5、37－27、38－8）

　①　不動産取得税、登録免許税は、業務用資産に係るものであるため、必要経費に算入することができる。

　②　借入金の利子は、業務開始前の期間に係るものは取得価額に算入され、業務開始以後の期間に係るものは必要経費に算入するが、本問では、すべて業務開始以後の期間に係るもの（甲は平成16年から物品販売業を営んでいる。）であるため、すべて必要経費に算入する。

　③　資産の取得に係る仲介手数料は、業務用資産に係るものであったとしても取得価額に算入する。

⑿　民事事件に係る費用（基通37－25）

　　業務の遂行上生じた民事事件に係る弁護士費用等は、次に掲げるようなものを除き必要経費に算入する。

　①　必要経費に算入されない租税公課に関するもの

　②　甲に故意又は重過失がある場合等に関するものなど

　　　本問では、上記のいずれにも該当しないため、必要経費に算入できる。

⒀　減価償却費

　①　店　舗

　　　平成19年3月31日以前に取得した資産であるため、旧定額法により償却する。

　②　倉　庫

　　　取得の際に支出した仲介手数料を取得価額に算入するのを忘れないこと。

　　　また、平成19年4月1日以後に取得した資産であるため、定額法により償却する。

　③　車　両

　　　国庫補助金の交付を受けて取得した資産であるため、当該補助金に相当する金額を取得価額から減額する。

　　　また、平成19年4月1日以後に取得した資産であるため、定額法により償却する。

　④　備品Z

　　　非業務用として使用してきた資産を業務用に転用した場合には、転用時における取得費相当額を、転用時における未償却残額とみなして償却費を計算する。

　　　なお、本問においては、定額法により償却することになるため、資産損失額などを計算する場合を除き、減価の額を計算する必要はない。

2．〔資料2〕関係

(1) 総収入金額（法26）

不動産の貸付けの対価である家賃収入及び礼金収入を収入金額に計上する。

(2) 管理費（基通37－27、38－8）

アパート取得に係る借入金の利子は、アパートが業務用資産であるため、業務開始前の期間に係るものは取得価額に算入され、業務開始以後の期間に係るものは必要経費に算入する。

なお、本問における使用開始前の期間に係るもの150,000円は、業務開始前の期間に係るもの（本年5月にアパートの貸付開始 ＝ 使用開始 ＝ 業務開始）であるため、アパートの取得価額に算入する。

(3) 減価償却費

平成19年4月1日以後に取得した資産であるため、定額法により償却する。

(4) 青色申告特別控除（措法25の2）

居住者が青色申告者である場合には、青色申告特別控除の適用を受けることができるが、その控除額は次の要件を満たした場合は55万円（電子申告又は一定要件を満たす電子帳簿保存を行っている場合は65万円）となり、満たさない場合は10万円となる。

> ① 不動産所得「又は」事業所得を生ずべき「事業」を営むこと
> ② 不動産所得又は事業所得に係る取引を詳細に記帳すること
> ③ 確定申告書に一定の書類を添付すること
> ④ 確定申告書をその提出期限内に提出すること

本問において、不動産所得は事業以外の業務（規模が小さい。）で行われているが、事業所得は事業的規模で行われている（事業所得は常に規模が大きい。）ため、上記①の要件を満たす。

なお、控除額は不動産所得、事業所得の順で控除していくが、本問のように不動産所得が事業以外の業務で行われていたとしても、不動産所得から控除していくので注意すること。

3．〔資料3〕関係

(1) C株式の剰余金の配当（法24）

配当所得で課税される。

また、配当所得は課税方法が原則総合課税とされるため、他の総合課税される所得（不動産所得、事業所得、給与所得等）と合算して超過累進税率により課税され、その源泉徴収税額については、申告納税額の計算上精算されることになる。

(2) 社債の利子（法23、措法3）

利子所得で課税される。

なお、特定公社債以外の社債の利子は、課税方法が原則として源泉分離課税とされるため、他の総合課税される所得（配当所得、不動産所得、事業所得）とは合算せず、その源泉徴収税

額について、申告納税額の計算上精算も行わないことに注意する。

(3) 事業用動産の譲渡損（法33、69）

総合短期の譲渡損であるため、他の総合短期の譲渡益と通算する。

本問では、備品Xに譲渡益が生じているため、通算する。

なお、通算しきれない損失は、総合長期と内部通算した後、課税標準の計算において損益通算することになるが、譲渡所得の損失は、まず一時所得と通算し、その後経常所得、山林所得又は退職所得と順次通算する。

(4) 競馬の馬券の払戻金（法34、基通34−1）

一時所得で総合課税される。

一時所得の金額は、総収入金額から支出した金額を控除し、その残額から50万円の特別控除額を控除する。

なお、一時所得の金額は課税標準の計算において2分の1をして他の所得と合算するが、他の所得との損益通算を行う場合には、2分の1を行う前に通算することに注意する。

4．〔資料4〕関係

(1) 妻の所有資産（法72）

雑損控除は、居住者及び居住者の同一生計親族で課税標準の合計額が48万円以下であるものの有する一定の資産について災害等により損失が生じた場合に適用がある。

妻の給与所得の金額は、給与所得の収入金額とされる100万円から給与所得控除額55万円を控除した残額である45万円となり、他に所得はないため、45万円が課税標準の合計額となる。

したがって、妻の所有する衣類は甲の雑損控除の対象となる。

(2) 損失額の計算（令206）

雑損控除における損失額の計算は次のとおりである。

> 被害直前の時価
> （又は取得費相当額） − 被害直後の時価 − 廃材価額 − 保険金等 ＋ 災害等関連支出の額

(3) 保険金の控除

資産の損害に伴いその損害を補てんする保険金等を受け取った場合には、上記の算式に則って損失額から控除していくが、この場合における保険金の控除は個別対応とされているため、居住用家屋に係る保険金は、居住用家屋の損失額からのみ控除する。衣類の損失額や災害関連支出からは控除しない。

なお、損失額から控除しきれない保険金の額（保険差益）は非課税とされる。

5．〔資料5〕関係

(1) 社会保険料控除（法74）

甲及び同一生計親族に係るものが対象となる。

なお、控除額は、支出した保険料の全額である。

(2) 医療費控除（法73）

甲及び同一生計親族に係るものが対象となる。

なお、控除額は次のとおりである。

```
①　支出医療費の額
　　医療費の額　－　保険金等の額
②　足切限度額
　　イとロのいずれか少ない方の金額
　イ　課税標準の合計額　×　5％
　ロ　10万円
③　①　－　②　＝　医療費控除額（200万円を限度）
```

(3) 地震保険料控除（法77）

居住用家屋及び家財を保険目的とする地震保険契約に係る保険料は、地震保険料控除の対象

となる。

なお、控除額は、支出した保険料の全額（5万円を限度）である。

(4) 寄附金控除（法78）

地方公共団体に対する寄附金など、特定寄附金に該当するものは寄附金控除の対象となる。

なお、控除額は、寄附金控除の対象となる寄附金（特定寄附金）から2,000円を控除した金

額となる。

※　特定寄附金は、課税標準の合計額の40％が限度とされる。

6．〔資料6〕関係

(1) 配偶者控除（法83）

妻の合計所得金額が48万円以下であり、かつ、甲の合計所得金額が1,000万円以下であるた

め、配偶者控除の適用がある。

本問では、甲の合計所得金額が900万円以下のため、控除額は38万円となる。

(2) 扶養控除（法84、2①三十四、三十四の二、三十四の三）

①　長男は、甲の同一生計親族で無収入（合計所得金額が48万円以下）であるため、扶養控除

の適用がある。

なお、年末現在の年齢が22歳であるため、特定扶養親族に該当し、控除額は63万円である。

②　母は、甲の同一生計親族で無収入（合計所得金額が48万円以下）であるため、扶養控除の

適用がある。

　　なお、年末現在の年齢が72歳（老人扶養親族）であり、甲の直系尊属で、甲と同居しているため、同居老親等に該当し、控除額は58万円となる。

(3)　障害者控除（法79）

　　扶養親族である母は、障害者であるため、障害者控除の適用がある。

　　なお、特別障害者（常に就床を要し、複雑な介護を要する者）に該当し、同居しているため、同居特別障害者に該当し、控除額は75万円となる。

(4)　基礎控除（法86）

　　甲の合計所得金額が2,400万円以下のため、控除額は48万円となる。

7．税額計算関係

(1)　配当控除（法92）

　　甲は、総合課税の配当所得を有しているため、配当控除の適用がある。

　　なお、控除額は、課税総所得金額等（課税山林所得金額及び課税退職所得金額以外の課税所得金額の合計額をいう。）が1,000万円以下であるため、配当所得の金額の10%相当額となる。

(2)　復興特別所得税について（復興財源確保法 8 ～10、12、13）

　　平成25年から令和19年までの25年間にわたり、居住者は復興特別所得税（「基準所得税額」の2.1%相当額）を、所得税と合わせて納付しなければならない。

　　なお、基準所得税額は、「外国税額控除適用前の所得税額」とされているため、復興特別所得税額は、算出税額から外国税額控除以外の税額控除額を控除した金額の2.1%相当額とされる。

(3)　源泉徴収税額

　　C株式の剰余金の配当に係る源泉徴収税額を精算する。

※ □で囲まれた数字は配点を示す。

I 各種所得の金額

摘　　要	金　　額	計　算　過　程　（単位：円）
不 動 産 所 得	24,572,231	**(1) 総収入金額（合計　36,390,000）** ① 賃貸料収入 $34,850,000+980,000+60,000+(90,000-80,000)×16$ $+80,000×2=36,210,000$ ② ② 敷金償却 $450,000×40\%=180,000$ ② 〔注〕更新料は翌年分の所得 **(2) 必要経費（合計　11,167,769）** ① 管理費 $6,649,000+250,000-1,800,000-2,499,000=2,600,000$ ② 青色事業専従者給与 $1,500,000$ ③ 資産損失 $20,050,000-25,000,000×0.022×\dfrac{9}{12}=19,637,500$ $19,637,500-12,000,000=7,637,500$ $7,637,500-2,000,000=5,637,500$ ② ④ 原状回復費用 $7,637,500>2,499,000\qquad∴\quad 0$ ② ⑤ 減価償却費（合計　1,430,269） イ　アパート $20,000,000×0.046×\dfrac{12}{12}=920,000$ ② ロ　マンション（合計　510,269）② (イ) $25,000,000×\dfrac{7,637,500}{19,637,500}=9,723,106$ $9,723,106×0.022×\dfrac{9}{12}=160,432$ (ロ) $(25,000,000-9,723,106)×0.022=336,092$

		(ハ) $2,499,000 \times 0.022 \times \dfrac{3}{12} = 13,745$
		(3) 青色申告特別控除額
		(1)−(2)≧650,000 $\therefore$ 650,000 ☒2
		(4) (1)−(2)−(3)=24,572,231
山 林 所 得	1,800,000	(1) 総収入金額
		8,000,000
		(2) 必要経費（合計 5,700,000）
		① 山林D
		イ 1,200,000＋2,300,000＋400,000＝3,900,000
		ロ （8,000,000−400,000）×50%＋400,000＝4,200,000
		ハ イ＜ロ $\therefore$ 4,200,000 ☒2
		② 資産損失
		1,800,000＋700,000−1,000,000＝1,500,000 ☒2
		(3) 特別控除額
		(1)−(2)≧500,000 $\therefore$ 500,000
		(4) (1)−(2)−(3)=1,800,000
譲 渡 所 得 （総合短期）	775,000	I 総 合
		(1) 譲渡損益
		① 宝石（総短）
		$750,000 < 2,050,000 \times \dfrac{1}{2}$ ⇨ 低額譲渡
		$\overset{※}{750,000} - (800,000 + 65,000) = \triangle 115,000$
		⇨ なかったものとみなす ☒2
		※ $800,000 < 2,000,000 \times \dfrac{1}{2}$ ⇨ 低額譲渡
		800,000＞600,000 ⇨ 譲渡益 $\therefore$ 通常課税
		② 特許権（総短）
		4,885,000−（3,500,000＋110,000）＝1,275,000 ☒2
		※ 家庭用冷蔵庫の譲渡損はなかったものとみなす ☒2
		(2) 特別控除
		1,275,000−500,000＝775,000（総短）

（分離長期）	29,075,000	Ⅱ　土地建物等
		(1)　譲渡損益
		①　山林の敷地(分長)
		$22,500,000-\underset{※}{(1,125,000+1,750,000)}=19,625,000$ 　**2**
		※　$22,500,000\times5\%=1,125,000>650,000$
		$\therefore\quad 1,125,000$
		②　別荘の敷地(分長)
		$31,000,000-\underset{※}{(18,150,000+450,000+2,800,000}$
		$+150,000)=9,450,000$ 　**2**
		※　$15,200,000<31,000,000\times\dfrac{1}{2}$
		$\Rightarrow$　低額譲渡　$\therefore$　時価課税
		〔注〕M土地の寄附は非課税
		(2)　分長計　$19,625,000+9,450,000=29,075,000$
配　当　所　得	130,000	(1)　収入金額（合計　165,000）
		①　H株式　　　　175,000（申不）　**2**
		②　I株3月　　　120,000
		③　I株9月　　　　40,000（申不）
		④　K株式　　　　45,000　**2**
		〔注〕J株式の配当は翌年分の所得
		(2)　負債の利子
		35,000
		(3)　(1)−(2)=130,000

Ⅱ　課税標準

摘　　要	金　　額	計　算　過　程　　　　（単位：円）
総 所 得 金 額	25,477,231	$24,572,231+775,000+130,000=25,477,231$
長期譲渡所得の金額	29,075,000	
山 林 所 得 金 額	1,800,000	
合　　計	56,352,231	

問題 3

解答

Ⅲ　所得控除

摘　　要	金　　額	計　算　過　程　　（単位：円）
医 療 費 控 除	2,000,000 ②	※ $2,150,000 - 100,000 = 2,050,000 > 2,000,000$　∴　$2,000,000$ ※　$56,352,231 \times 5\% > 100,000$　∴　$100,000$
社会保険料控除	962,000	
地震保険料控除	50,000 ②	$65,000 > 50,000$　∴　$50,000$
寄 附 金 控 除	2,655,000 ②	※ $2,657,000 - 2,000 = 2,655,000$ ※　$2,507,000 + 150,000 = 2,657,000 \leqq 56,352,231 \times 40\%$ 　　　　　　　　　　　　　　∴　$2,657,000$
配 偶 者 控 除	0 ②	適用なし
配偶者特別控除	0	適用なし
扶 養 控 除	1,160,000 ②	長　男　青色事業専従者のため非該当 　　父　　所得なし　∴　該当（同居老親等） 　　母　　所得なし　∴　該当（同居老親等） $580,000 + 580,000 = 1,160,000$
障 害 者 控 除	750,000 ②	母（同居特別障害者）
基 礎 控 除	0	$25,000,000 < 56,352,231$　∴　適用なし
合　　計	7,577,000	

Ⅳ　課税所得金額

摘　　要	金　　額	計　算　過　程　　（単位：円）
課税総所得金額	17,900,000	$25,477,231 - 7,577,000 = 17,900,000$
課税長期譲渡所得金額	29,075,000	
課税山林所得金額	1,800,000	〔千円未満切捨〕

V　納付税額

摘　　要	金　　額	計　算　過　程　　（単位：円）
算　出　税　額	8,822,250	(1)　課税総所得金額に対する税額 　　　$17,900,000 \times 33\% - 1,536,000 = 4,371,000$ (2)　課税長期譲渡所得金額に対する税額 　　　$29,075,000 \times 15\% = 4,361,250$ (3)　課税山林所得金額に対する税額（やり方 ②） 　　　$1,800,000 \times \dfrac{1}{5} = 360,000$ 　　　$360,000 \times 5\% = 18,000$ 　　　$18,000 \times 5 = 90,000$ (4)　(1)+(2)+(3)=8,822,250
配　当　控　除　額	6,500 ②	$130,000 \times 5\% = 6,500$
基　準　所　得　税　額	8,815,750	
復興特別所得税の額	185,130	$8,815,750 \times 2.1\% = 185,130$
所　得　税　及　び 復興特別所得税の額	9,000,880	
源　泉　徴　収　税　額	33,693 ②	$24,504 + 9,189 = 33,693$
申　告　納　税　額	8,967,100	〔百円未満切捨〕

【配　点】　　②×25カ所　　　合計50点

解答への道

1.〔資料1〕関係

(1) 明渡請求（基通36-5）

賃貸借契約の存否の係争等（明渡請求）があった場合には、次のように収入計上を行う。

① 判決、和解等があるまでは、賃貸料の収入計上はしない。

② 判決、和解等があった日に、既往の期間に対応する賃貸料相当額（供託されていたもの、遅延利息、その他の損害賠償金を含む。）を収入計上する。

本問では、明渡請求が解決しているため、上記②に則り、係争期間中の賃貸料を収入計上する。損害賠償金も、不動産の貸付けの対価であるため、併せて収入計上する。

(2) 値上請求（基通36-5）

賃貸料の額に関する係争等（値上請求）があった場合には、次のように収入計上を行う。

① 賃借人が支払い又は供託した金額は、支払日基準等により計上する。

② 判決、和解等により、差額の支払いを受けることとなった場合には、その差額については、判決、和解等のあった日に計上する。

本問では、値上請求が解決しているため、上記②に則り、差額に相当する金額｛（90,000円－80,000円）×16ヶ月（前年3月分から本年6月分まで）＝160,000円｝を収入計上する。

(3) 敷金の収入計上（基通36-7）

敷金、保証金等については、返還を要しないことが確定した都度、その確定した部分の金額を総収入金額に算入する。

本問では、明け渡しの時期に関係なく、40％を償却することになっているため、明渡時ではなく、敷金を受けた時に収入計上する。

(4) 更新料（基通36-6）

更新料については、契約の効力発生日に収入計上する。

本問では、契約の効力発生日（契約の更新日）が翌年1月末日であるので、翌年分の所得として認識する。

(5) 叔父に対する賃貸料（法37）

甲の叔父は別生計親族であるため、その賃貸料は甲の不動産所得の金額の計算上総収入金額に算入する。また、固定資産税は当然に必要経費に算入する。

(6) 不動産取得税等（基通37-5、38-9）

業務用資産に係るものは、必要経費に算入し、非業務用資産に係るものは取得価額に算入する。

本問では、アパート（業務用資産）に係るものであるため、必要経費に算入する。

(7) 敷地の賃貸料（法56、基通56－1）

　　同一生計親族である甲の母が所有する敷地の賃貸料は、必要経費に算入できない。（本問では、無償となっているが、仮に賃貸料を払っていたとしても必要経費には算入できない。）

　　なお、敷地に係る固定資産税は、母の「その対価（賃貸料）に係る各種所得（不動産所得）の金額の計算上、必要経費に算入されるべき金額」に該当するため、甲の事業所得の金額の計算上、必要経費に算入する。

(8) 弁護士費用（基通37－25）

　　業務上の紛争（明渡請求及び値上請求）の解決のために支出したものであり、甲に故意又は重大な過失があるものではないため、必要経費に算入する。

(9) 青色事業専従者給与（法57）

　　青色事業専従者に対して給与を支払い、その給与が青色事業専従者給与に関する届出書の範囲内の金額で、労務の対価として相当な場合には、必要経費に算入できる。

　　本問では、支払った金額のうち労務の対価として相当な部分の金額は1,500,000円であるため、当該金額を必要経費に算入する。

(10) 資産損失関係（法51、令142、基通49－31、51－2、3）

①　マンション（事業用固定資産に該当）が災害により被害を受けているため、次の算式で損失額を計算する。

$$\underbrace{(損失発生直前の未償却残額 － 損失発生直後の時価)}_{資産損失の基礎価額} － 廃材価額 － 保険金等の額$$

　　なお、本問では、与えられている資料が年初未償却残額であるため、そこから損失時までの償却費を控除して損失発生直前の未償却残額を計算する。

　　また、受け取った保険金は非課税とされるが、上記の損失額の計算上控除されることになる。

②　資産の損害に伴い、その資産の原状回復のために支出した費用（原状回復費用）の額があるときは、その費用の額のうち、資産損失の基礎価額に達するまでの金額は資本的支出とし、残余の額はその支出年分の必要経費に算入する。

　　本問では、資産損失の基礎価額が原状回復費用より大きいため、その全額が資本的支出として取り扱われる。

③　償却費の計算は次のように行う。

イ　損壊等部分

a　取得価額【A】※ × $\dfrac{資産損失の基礎価額}{損失発生直前の未償却残額}$ ＝【B】

※　定率法の場合は年初未償却残額

b　【B】の年償却費× $\dfrac{1月1日から損失発生日までの月数}{12}$

ロ　その他の部分

{【A】－【B】}を基礎として計算した年償却費

ハ　資本的支出部分

資本的支出部分の年償却費× $\dfrac{業務供用日から12月31日までの月数}{12}$

　なお、上記の計算においては、損壊等部分及びその他の部分は、平成28年1月に取得したものであるため、また、資本的支出部分については、新たな資産の取得とみなして、いずれも定額法により償却する。

(11)　アパートの償却

平成19年4月1日以後に取得した資産であるため、定額法により償却する。

なお、不動産取得税等を取得価額に算入しないこと。

2.〔資料2〕関係

(1)　山林の譲渡（法32、基通32－1）

所有期間が5年を超える山林の譲渡をした場合には、山林所得として課税される。

(2)　山林の必要経費（法37②、措法30）

本問では、平成12年に取得した山林であるため、原則と概算経費のいずれか多い金額が必要経費となる。

なお、各々の必要経費の計算方法は次のとおりである。

①　原　則

植林費 ＋ 取得に要した費用 ＋ 管理費 ＋ 育成費 ＋ 伐採費 ＋ 譲渡費用

②　概算経費

（収入金額－伐採費等）× 50％ ＋ 伐採費等

過 去 費 用　　　⇩　　現在費用

(3) 山林の資産損失

所有する山林について、災害、盗難、横領により損害が発生した場合には、次の算式により必要経費に算入する。

$$\left.\begin{array}{c}\text{損失発生時までに支出した}\\ \text{植林費、管理費、育成費等}\end{array}\right. \frac{\text{損失発生直後}}{\text{の} \quad \text{時} \quad \text{価}} - \text{廃材価額} - \text{保険金等の額}$$

この場合において、損害の発生した山林が、雑所得の基因となるもの（所有期間が5年以下で事業と称するには至らない程度の規模）であった場合には、雑所得ではなく山林所得の必要経費に算入することに注意する。

また、受け取った保険金は保険差益相当部分に限り課税されるが、本問では、保険差益が発生していないため、課税されない。

3.〔資料3〕関係

(1) 家庭用冷蔵庫（法9①九）

生活に通常必要な動産に該当するため、その譲渡益は非課税とされ、その譲渡損はなかったものとみなされる。なお、その旨を答案用紙に表すこと。

(2) 山林の敷地（法60、措法31の4）

平成24年の単純承認による相続により取得しているため、甲がその資産を引き続き所有していたものとみなして、譲渡所得の計算を行う。（取得費、取得時期等を引き継いで計算する。）

なお、取得費の計算は、実額による取得費といわゆる5％基準（収入金額×5％）のいずれか大きい金額となる。

(3) 別荘の敷地（法59、基通38-1）

時価の$\frac{1}{2}$（31,000,000円×$\frac{1}{2}$＝15,500,000円）未満の対価により譲渡しているため、法人に対する低額譲渡となり、時価により譲渡したものとみなされる。

なお、譲渡するにあたり、敷地の上にあった別荘の取り壊しによる資産損失額（取得費相当額2,800,000円）は譲渡関連損失として譲渡費用とされる。同様に取壊費用150,000円も譲渡費用として取り扱われる。

※ 取壊費用等の取扱い

区　　　　　　分	取　扱　い
土地等とともに取得した建物等の取壊費用、資産損失額（土地利用目的のもの）	土 地 の 取 得 価 額
土地等を譲渡するためのその上にある建物等の取壊費用、資産損失額	譲 渡 費 用
その他のもの（老朽化など）	必 要 経 費

(4) 宝　石（法59）

① 　令和3年の取得時において、甲に宝石を譲渡した甲の叔父は、低額譲渡（800,000円＜ 2,000,000円×$\frac{1}{2}$＝1,000,000円）であるが、譲渡益（800,000円－600,000円＝200,000円） であるため、通常どおり課税され、そのため、甲の計算においても、通常どおり令和3年に 800,000円で取得したものとされる。

② 　本年の譲渡時においては、個人に対する低額譲渡（750,000円＜2,050,000円×$\frac{1}{2}$＝1,025,000 円）であり、かつ譲渡損（750,000円－800,000円－65,000円＝△115,000円）であるため、そ の譲渡損失はなかったものとされ、内部通算することは出来ない。

(5) 特許権（令182、基通37－5、49－3、7）

譲渡所得で総合課税され、その所有期間が5年以下であるため、総合短期となる。

なお、自己の研究開発により取得した特許権の譲渡については、その所有期間にかかわらず 総合長期として課税されるが、本問では、友人から購入により取得したものの譲渡であるため、 所有期間に応じて課税される。

また、特許権の登録に要した費用は次のように取り扱われる。

原　　　　　則	取得価額に算入
特例（自己の研究の成果によるもの）	必要経費に算入できる

本問では、特例を適用することは出来ないため、原則どおり取得価額に算入する。

4．〔資料4〕関係

(1) 申告不要の適用（措法8の5）

① 　上場株式等とされる配当金については、その金額に関係なく申告不要とすることができる。

② 　上場株式等以外とされる配当金については、1回に支払を受ける金額が10万円（計算期間 が1年未満である場合には、10万円×計算期間／12月で計算した金額）以下である場合には、 申告不要とすることができる。

本問では、H株式の配当金が上記①により、また、I株式の本年9月に確定したものが上 記②により申告不要とすることができる。

(2) 収入計上時期（法36③）

記名式の株式に係るものについては権利確定時期に、また、無記名式の株式に係るものにつ いては実際の支払日に収入計上することになる。

本問では、J株式が無記名式であり、実際の支払日が翌年であるため、翌年分の所得として 認識することになる。

(3) 負債の利子

株式取得に係る借入金の利子は、原則として配当所得の金額の計算上控除する。

なお、申告不要の適用を受けた配当に係るものについては、控除することはできない。

5．〔資料5〕関係

(1) 医療費（法73）

　　医療費控除額は支出した医療費から課税標準の合計額の5％（10万円を限度）を控除した金額となるが、200万円を限度とすることに注意する。

(2) 地震保険料（法77）

　　甲の居住用家屋及び家財を対象とする地震保険料であるため、地震保険料控除の対象となる。なお、控除額は保険料の全額であるが、5万円を限度とすることに注意する。

(3) 国に対する寄附（措法40）

　　国に対する譲渡所得の基因となる資産（M土地）の寄附は、国も法人の一つであるため、時価課税とされるはずであるが、租税特別措置法によりその譲渡益は非課税とされる。

　　また、国に対する寄附であるため、寄附金控除の対象となるが、その対象となる金額は、その資産の時価から非課税とされる金額を控除した金額となるため、結果的にその資産の取得費及び譲渡費用の額の合計額となる。

※　国等に対して資産を贈与等した場合

	棚 卸 資 産 等	譲渡所得の基因となる資産等
課 税 関 係	次のいずれか多い金額を総収入金額に算入 ① 通常の販売価額×70％ ② 取得価額	非　課　税
寄附金控除対象額 （特定寄附金の額）	総収入金額算入額	取得費＋譲渡費用 又は　必要経費

6．〔資料6〕関係

(1) 甲の妻（法83）

　　給与収入が103万円で、そこから給与所得控除額（最低額の55万円）を差し引いた金額が48万円となるが、甲の合計所得金額が1,000万円超のため、配偶者控除の適用はない。

(2) 甲の長男（法84）

　　青色事業専従者で給与の支払いを受けているため、扶養親族に該当しない。

(3) 甲の母（法84）

　　老人扶養親族に該当し、かつ甲の直系尊属で甲と同居しているため、同居老親等に該当し、控除額は58万円となる。

　　なお、扶養親族が障害者であることから障害者控除（同居特別障害者のため75万円）の適用も併せて受けられることに注意する。

(4) 基礎控除（法86）

　　甲の合計所得金額が2,500万円超のため、適用はない。

7．復興特別所得税について（復興財源確保法8〜10、12、13）

　　平成25年から令和19年までの25年間にわたり、居住者は復興特別所得税（「基準所得税額」の2.1％相当額）を、所得税と合わせて納付しなければならない。

　　なお、基準所得税額は、「外国税額控除適用前の所得税額」とされているため、復興特別所得税額は、算出税額から外国税額控除以外の税額控除額を控除した金額の2.1％相当額とされる。

I　各種所得の金額

摘　　要	金　　額	計　算　過　程　　（単位：円）
不動産所得	0	(1)　総収入金額（合計　6,368,000） 　①　家賃収入 　　　$5,120,000-160,000=4,960,000$ 　[2] 　②　敷金・礼金収入 　　　$1,280,000+\underline{640,000\times20\%}=1,408,000$ 　　　　　　　　　　　　　　　[2] (2)　必要経費（合計　6,368,000） 　①　諸経費 　　　$3,150,000+\underline{800,000+720,000}=4,670,000$ 　　　　　　　　　　　　　　　[2] 　②　減価償却費（マンション） 　　　$42,000,000\times0.027\times\dfrac{10}{12}=945,000$ 　③　資産損失（やり方 [2]） 　　イ　2,321,000 　　ロ　$6,368,000-(4,670,000+945,000)=753,000$ 　　ハ　イ＞ロ　　∴　753,000 　　※　前年分の未収家賃の回収不能は前年分の所得金額 　　　を減額 (3)　(1)－(2)＝0
事業所得	12,557,450	(1)　総収入金額（合計　81,520,000） 　①　売上 　　　　　　　　　　　　　　※ 　　　$70,500,000-280,000+200,000=70,420,000$ 　[2] 　　※　$280,000\times70\%=196,000 \ < \ 200,000 \ \ \therefore \ \ 200,000$ 　②　雑収入 　　　9,500,000 　③　貸倒引当金戻入 　　　1,600,000

(2) 必要経費（合計　68,312,550）

① 売上原価

$$8,000,000 + 44,700,000 - 6,500,000^{※} = 46,200,000 \boxed{2}$$

※　$6,500,000 < 7,000,000$　∴　$6,500,000$

② 営業費

$$19,482,550 - 2,200,000 - 1,000,000 - \underset{\boxed{2}}{\underline{500,000}} - 1,500,000$$

$$= 14,282,550$$

③ 青色事業専従者給与

$$2,200,000 + 1,000,000 = 3,200,000 \boxed{2}$$

④ 負担金等（合計　50,000）

イ　加入金

$$500,000 \times \frac{3}{5 \times 12} = 25,000 \boxed{2}$$

ロ　会　館

$$1,000,000 \times \frac{3}{10^{※} \times 12} = 25,000 \boxed{2}$$

※　50年×70%＝35年　＞　10年　　∴　10年

⑤ 貸倒損失

$$(1,800,000 + 1,200,000) \times \frac{1}{3} = 1,000,000 \boxed{2}$$

⑥ 貸倒引当金繰入（合計　3,580,000）

イ　個別評価（合計　2,700,000）$\boxed{2}$

(a)　乙　社

$$(1,800,000 + 1,200,000) \times \frac{2}{3} \times \frac{7}{10} = 1,400,000$$

(b)　丙商店

$$2,600,000 \times 50\% = 1,300,000$$

ロ　一括評価

(a)　債権の額

$$5,600,000 + 13,500,000 + 2,500,000 - 1,800,000$$

$$-1,200,000 - 2,600,000 = 16,000,000$$

(b)　繰入額

$$16,000,000 \times 5.5\% = 880,000 \boxed{2}$$

(3) 青色申告特別控除額

(1)−(2) ≧ 650,000　　∴　650,000

(4) (1)−(2)−(3)＝12,557,450

譲 渡 所 得		I　総　合
（総 合 長 期）	0	(1)　譲渡損益
		（総合長期）宝　石
		$2,500,000-(1,500,000+10,000)=990,000$　$\boxed{2}$
		※　絵画の譲渡損はないものとみなす　$\boxed{2}$
		(2)　生活に通常必要でない資産の損失の控除
		$990,000\underset{\sim\sim\sim\sim\sim}{-600,000}=390,000$
		$\boxed{2}$
		(3)　特別控除
		$390,000\overset{※}{-}390,000=0$
		※　$390,000\leqq500,000$　∴　$390,000$
（分 離 長 期）	70,700,000	II　土地建物等
		(1)　B土地（分離長期）
		$25,000,000<57,000,000\times\dfrac{1}{2}$　∴　時価課税
		$57,000,000-(12,000,000+150,000)$
		$=44,850,000$　$\boxed{2}$
		(2)　C土地（分離長期）
		$29,200,000-(29,200,000\times5\%\overset{※}{+}750,000$
		$+1,140,000)=25,850,000$　$\boxed{2}$
		※　$1,500,000\times\dfrac{30,000,000}{59,000,000+1,000,000}=750,000$
		(3)　(1)+(2)$=70,700,000$
（一 般 株 式 等）	400,000	III　株式等
		E株式
		$4,050,000-(3,600,000+50,000)=400,000$　$\boxed{2}$
配 当 所 得	250,000	E株式
		250,000
一 時 所 得	0	(1)　総収入金額
		700,000
		(2)　支出した金額
		400,000
		(3)　特別控除額
		(1)-(2)$=300,000<500,000$　∴　$300,000$　$\boxed{2}$
		(4)　(1)-(2)-(3)$=0$

Ⅱ 課税標準

摘　　要	金　　額	計　算　過　程　（単位：円）
総 所 得 金 額	12,807,450	12,557,450＋250,000＝12,807,450
長 期 譲 渡 所 得 の 金 額	70,700,000	
一般株式等に係る 譲渡所得等の金額	400,000	
合　　計	83,907,450	

Ⅲ 所得控除額

摘　　要	金　　額	計　算　過　程　（単位：円）
雑 損 控 除	0	(1)　損失の金額 （妻の判定） $(1,400,000-500,000) \times \frac{1}{2}=450,000 \leqq 480,000$ ∴　該当 $650,000+\overset{※}{400,000}=1,050,000$　2 　※　400,000 ＞ 250,000　∴　400,000 (2)　足切限度額 　83,907,450×10％＝8,390,745 (3)　(1)－(2) ＜ 0　∴　0
社会保険料控除	759,800	
配 偶 者 控 除	0	適用なし
配偶者特別控除	0	適用なし
扶 養 控 除	1,210,000　2	長　男　青色事業専従者のため非該当 次　男　0 ≦ 480,000　∴　特定扶養親族　630,000 　母　　0 ≦ 480,000　∴　同居老親等　580,000 630,000＋580,000＝1,210,000
障 害 者 控 除	1,020,000　2	270,000＋750,000＝1,020,000
基 礎 控 除	0	25,000,000 ＜ 83,907,450　∴　適用なし
合　　計	2,989,800	

Ⅳ　課税所得金額

摘　　要	金　　額	計　算　過　程　（単位：円）
課税総所得金額	9,817,000	12,807,450 − 2,989,800 = 9,817,000
課税長期譲渡所得金額	70,700,000	
一般株式等に係る課税譲渡所得等の金額	400,000	〔千円未満切捨〕

Ⅴ　納付税額

摘　　要	金　　額	計　算　過　程　（単位：円）
算　出　税　額	12,368,610	(1) 課税総所得金額に対する税額 　　9,817,000 × 33% − 1,536,000 = 1,703,610 (2) 課税長期譲渡所得金額に対する税額 　　70,700,000 × 15% = 10,605,000 (3) 一般株式等に係る課税譲渡所得等の金額に対する税額 　　400,000 × 15% = 60,000 (4) (1)～(3)の合計　　12,368,610
配　当　控　除　額	12,500　②	250,000 × 5% = 12,500
基　準　所　得　税　額	12,356,110	
復興特別所得税の額	259,478	12,356,110 × 2.1% = 259,478
所　得　税　及　び復興特別所得税の額	12,615,588	
源　泉　徴　収　税　額	51,050　②	
申　告　納　税　額	12,564,500	〔百円未満切捨〕

【配　点】　②×25カ所　　合計50点

1．棚卸資産の評価方法

変更申請書を本年３月15日までに提出しているため、低価法への変更が認められる。（自動承認）

2．青色事業専従者給与等

長男、長女ともに従事可能期間の２分の１超従事しているため、青色事業専従者に該当する。

なお、給与については必要経費に算入されるが、退職金は青色事業専従者給与に含まれないため必要経費不算入となる。

3．繰延資産

同業者団体の加入金は５年、会館建設の負担金は10年（耐用年数50年×70％よりも短いため）で償却する。

なお、会館建設の負担金は支出日と着手日のいずれか遅い日から償却を開始することに留意する。

4．貸倒損失、貸倒引当金

乙社の債権については３分の１相当額を切捨てているため、貸倒損失を計上する。

乙社の年賦返済は、令和13年１月１日以後に返済される部分の金額について長期棚上げ基準により個別評価の貸倒引当金を設定する。

丙商店の債権については手形交換所の取引停止処分を受けているため、形式基準により個別評価の貸倒引当金を設定する。

なお、個別評価貸金等は、一括評価による貸倒引当金の設定対象から除かれることに留意する。

5．アパートの立退料、取壊費用、資産損失

立退料、取壊費用は、法37の経費として必要経費に算入する。

また、甲は、不動産の貸付けを、事業と称するに至らない程度の規模で行っていることから、取壊し時の未償却残額である資産損失額については、所得限度で必要経費に算入する。

6．明渡請求に係る収入計上時期

賃貸借期間の終了、賃借人の義務違反による賃貸借契約の解除等を理由に、賃貸借契約の存否が争われている場合には、判決・和解等があるまでは、たとえ供託があっても一切収入計上しない。

なお、判決・和解等があった日において既往の期間に係る賃貸料を一括計上する。

7．敷金の収入計上時期

敷金については、原則として収入計上しない。

但し、契約等によって、その全部又は一部が賃貸人に帰属する旨が定められている場合には、その実質は権利金や更新料などと変わらないものであるため、返還不要部分は返還不要確定時に収入計上することになる。

本問では「退出時に20％償却し残額は返還する。」とあるため20％部分のみ収入計上すること
になる。

8．未収家賃の回収不能

甲は、事業と称するに至らない程度の規模で不動産の貸付を行っているため、前年分の未収家
賃の回収不能額は、その収入計上した年分（前年分）の所得金額を減額処理することになる。

9．宝　石

宝石は、兄から贈与により取得したものであるため、兄の取得費（1,500,000円）と取得時期
（平成10年）を引き継ぐ。

10．絵　画

時価が30万円以下のため生活に必要な動産に該当し、その譲渡損はないものとみなす。

11．Ｂ土地

法人に対する低額譲渡（時価の２分の１未満の譲渡）であるため時価課税される。

12．Ｃ土地

Ｃ土地は、相続（単純承認）によって取得したものであるため、取得費と取得時期を引き継ぐ
が、取得価額が不明のため譲渡対価の５％相当額が取得費となる。

また、相続税の申告期限の翌日から３年以内に譲渡しているため、相続税額の取得費加算の適
用があり、計算パターンは次のとおりである。

$$相続税額 \times \frac{譲渡資産の相続税評価額}{相続税の課税価格（債務控除前、生前贈与加算後）}$$

13．Ｅ株式

一般株式等に係る譲渡所得等の税率は15％となる。また、配当収入は10万円を超えることから
申告不要とすることはできず、総合課税とされ、配当控除の適用がある。

14．生命保険契約に基づく一時金

一時所得で総合課税となる。

15．盗難による損失

(1)　骨とう品は時価が30万円超で生活に通常必要でない資産に該当するため、取得費相当額を総
　　合課税の譲渡所得の金額の計算上控除する。

(2)　現金及び衣服は雑損控除の対象となるが、衣服は妻所有のものであるため妻の課税標準の合
　　計額が48万円以下か否かの判定が必要となる。

　　なお、妻の所得要件を判定する場合には、総合長期の譲渡益であるため50万円特別控除及び
　　課税標準での $\frac{1}{2}$ の適用を忘れないこと。

　　また、衣服は減価する資産であるため、直前時価と取得費相当額のいずれか大きい金額を損
　　失の金額とすることに留意する。

16. 復興特別所得税について（復興財源確保法 8 ～ 10、12、13）

平成25年から令和19年までの25年間にわたり、居住者は復興特別所得税（「基準所得税額」の2.1％相当額）を、所得税と合わせて納付しなければならない。

なお、基準所得税額は、「外国税額控除適用前の所得税額」とされているため、復興特別所得税額は、算出税額から外国税額控除以外の税額控除額を控除した金額の2.1％相当額とされる。

※ □で囲まれた数字は配点を示す。

I 各種所得の金額

摘　　要	金　　額	計　算　過　程　　（単位：円）
事 業 所 得	12,239,173	(1) 総収入金額（合計 87,801,000） ① 売上高　83,900,000 [2] 　　※ 660,000≧840,000×70% ∴ 低額譲渡ではない 　　※ バーゲンセールによる販売は低額譲渡とはならない ② 雑収入　8,900,000−5,439,000＝3,461,000 ③ 貸倒引当金戻入　440,000 (2) 必要経費（合計 75,561,827） ① 売上原価 　5,400,000＋63,210,000−6,700,000＝61,910,000 ② 営業費 　13,058,490−162,000−26,900−3,800,000＝9,069,590 [2] ③ 青色事業専従者給与 　3,800,000 ④ 利子税 　$26,900 \times \dfrac{9,500,000}{※46,226,000}$ (0.21)＝5,649 [2] 　※ 24,500,000＋9,500,000＋(62,000,000−50,000,000) 　　＋226,000＝46,226,000 ⑤ 減価償却費（合計 399,838） 　イ 店　舗 　　9,300,000×0.9×0.023＝192,510 　ロ 倉　庫 　　$7,500,000 \times 0.028 \times \dfrac{2}{12}＝35,000$ [2] 　ハ 器具備品C 　　$420,000 \times 0.333 \times \dfrac{9}{12}＝104,895$ ⎫ 　ニ 器具備品D 　　$810,000 \times 0.333 \times \dfrac{3}{12}＝67,433$ ⎭ [2] ⑥ 貸倒引当金繰入 　6,850,000×5.5%＝376,750 [2] (3) (1)−(2)＝12,239,173

不 動 産 所 得	36,702,281	(1) 総収入金額（合計 54,350,000）**2** ① 家賃収入 53,650,000 ② 地代収入 175,000×4＝700,000 (2) 必要経費（合計 17,547,719） ① 借入金利子 7,143,193 ② 諸 経 費 9,640,000－1,650,000＝7,990,000 ③ 減価償却費（共同家屋） 120,000,000×0.020＝2,400,000 ④ 利 子 税 $26,900×\dfrac{24,500,000}{46,226,000}$（0.54）＝14,526 **2** (3) 青色申告特別控除額 (1)－(2)≧100,000 ∴ 100,000 **2** (4) (1)－(2)－(3)＝36,702,281
譲 渡 所 得 （総 合 長 期）	10,694,500	I 総 合 (1) 譲渡損益 ① J株式（総長） 7,100,000－(3,890,000＋765,000)＝2,445,000 **2** ② K骨とう品（総長） ※ 9,210,000－460,500＝8,749,500 **2** ※ 9,210,000×5％＝460,500 ③ ①＋②＝11,194,500 (2) 特別控除 11,194,500－500,000＝10,694,500（総長）
（分 離 短 期）	10,254,960	II 土地建物等 (1) 権利金（分短） （判定）$20,400,000>20,400,000÷60％×\dfrac{5}{10}$ ＝17,000,000 ∴ 譲渡行為 **2** ① 20,400,000 ② $24,800,000×\dfrac{20,400,000}{20,400,000＋13,600,000}$ ＋1,650,000＝16,530,000 ③ ①－②＝3,870,000 **2** (2) G別荘（分短） ※1 3,000,000－(5,575,040＋590,000)＝△3,165,040 **2**

		※1　6,200,000−6,200,000×0.9×0.028(※2)×4年(※3) =5,575,040 ※2　24年×1.5=36年(0.028) ※3　令和3年7月〜令和7年9月⇒4年6月未満 ∴　4年 (3)　G別荘の敷地（分短） 42,000,000−(28,200,000+4,250,000)=9,550,000 (4)　(1)+(2)+(3)=10,254,960
(一般株式等)	1,213,530	Ⅲ　株式等 (1)　H株式 5,440,000−(4,480,000+57,120+31,500)=871,380 [2] (2)　I株式 1,850,000−(1,505,000※+2,850)=342,150 [2] ※　$\frac{3,770,000+2,240,000}{13,000\text{株}+7,000\text{株}}$=@300.5→301 301×5,000株=1,505,000 (3)　(1)+(2)=1,213,530
配当所得	280,000 [2]	（証投信）338,000（申不） （I株式）280,000
一時所得	2,089,000 [2]	(1)　総収入金額　5,439,000 (2)　支出した金額　2,850,000 (3)　特別控除額　(1)−(2)≧500,000　∴ 500,000 (4)　(1)−(2)−(3)=2,089,000
利子所得	0	（国債）7,980（申不）[2]

Ⅱ　**課税標準**

摘要	金額	計算過程　(単位：円)
総所得金額	55,613,204	12,239,173+36,702,281+(10,694,500+2,089,000)×$\frac{1}{2}$ +280,000=55,613,204
短期譲渡所得の金額	10,254,960	
一般株式等に係る譲渡所得等の金額	1,213,530	
合計	67,081,694	

Ⅲ 所得控除額

摘　要	金　額	計　算　過　程　　（単位：円）
医療費控除	485,000 ②2	$(705,000-120,000)-100,000=485,000$　※ 　※　　$67,081,694\times5\%>100,000$　　∴　100,000
社会保険料控除	1,058,000	
生命保険料控除	78,750 ②2	(1)　一般　$30,000+(75,000-40,000)\times\dfrac{1}{4}=38,750$ (2)　個人年金　$95,000>80,000$　　　∴　40,000 (3)　$(1)+(2)=78,750$
地震保険料控除	15,000	$15,000\leqq50,000$　　　∴　15,000
配偶者控除	0	適用なし
配偶者特別控除	0	適用なし
扶　養　控　除	1,210,000 ②2	（長　男） 　　青色事業専従者のため適用なし （次　男） 　　$1,290,000-550,000=740,000>480,000$　∴　適用なし （次　女） 　　$1,010,000-550,000=460,000\leqq480,000$　∴　特定扶養親族 （妻の母） 　　$0\leqq480,000$　　　∴　同居老親等 $630,000+580,000=1,210,000$
（障害者）控除	750,000 ②2	妻の母
基　礎　控　除	0	$25,000,000<67,081,694$　　　∴　適用なし
合　　計	3,596,750	

Ⅳ 課税所得金額

摘　要	金　額	計　算　過　程　　（単位：円）
課税総所得金額	52,016,000	$55,613,204-3,596,750=52,016,000$
課税短期譲渡所得金額	10,254,000	
一般株式等に係る課税譲渡所得等の金額	1,213,000	
		〔千円未満切捨〕

V 納付税額

摘 要		金 額	計 算 過 程 （単位：円）
算出税額	〔課税総所得金額〕に対する税額	18,611,200	52,016,000×45％－4,796,000＝18,611,200
	〔課税短期譲渡所得金額〕に対する税額	3,076,200	10,254,000×30％＝3,076,200
	〔一般株式等に係る課税譲渡所得等の金額〕に対する税額	181,950	1,213,000×15％＝181,950
	算出税額合計	21,869,350	
配 当 控 除 額		14,000 ②	280,000×5 ％＝14,000
基 準 所 得 税 額		21,855,350	
復興特別所得税の額		458,962	21,855,350×2.1％＝458,962
所 得 税 及 び 復興特別所得税の額		22,314,312	
源 泉 徴 収 税 額		57,176 ②	
申 告 納 税 額		22,257,100	〔百円未満切捨〕

【配 点】 ②×25カ所　合計50点

問題5

解答

— 113 —

1．事業所得に関する事項

(1) 商品の販売（法40、基通39－2、基通40－2（注））

友人Aに対する商品の販売については、通常の販売価額の70％未満による販売でないため、低額譲渡には該当しない。また、バーゲンセールによる商品の販売には低額譲渡の適用はない。

(2) 少額減価償却資産の売却収入（法33、令81）

少額減価償却資産の売却収入は、少額重要資産に該当しないときは、事業付随収入となる。なお、譲渡所得として課税される場合であっても取得費はゼロであることに留意する。

(3) 家事関連費（法45）

家事関連費は業務上の経費が区分できない限り、全額必要経費不算入である。

(4) 借入金利子（基通37－27）

借入金利子で業務開始前の期間に係るものはその資産の取得価額を構成し、業務開始以後の期間に係るものは必要経費に算入される。なお、これらの取扱いは、不動産所得、事業所得、山林所得又は雑所得のそれぞれの業務ごとに判定することに留意する。

(5) 消費税（平元3．29直所3－8）

税込経理方式を採用している事業者が納付すべき消費税は、消費税の申告書の提出期限の属する年分の必要経費に算入する。

(6) 利子税（令97）

利子税は、不動産所得、事業所得又は山林所得を生ずべき事業を行う者が納付した確定申告税額の延納に係る部分に対応する金額として次に掲げる金額が必要経費に算入される。

$$利子税 \times \frac{前年分の事業から生じた不動産所得の金額、事業所得の金額、山林所得の金額（所得毎）}{前年分の各種所得の金額の合計額}$$（小数点以下2位未満切上）
↑

① 黒字に限る。

② 給与所得の金額及び退職所得の金額を除く。

③ 総合長期譲渡所得の金額及び一時所得の金額は $\frac{1}{2}$ をした後の金額

④ 分離課税の譲渡所得の金額については、措置法の特別控除後の金額

(7) 棚卸資産の評価方法の変更（令101）

棚卸資産の評価方法の変更は、変更したい年の3月15日までに納税地の所轄税務署長に、変更申請書を提出しなければならない。本問は翌年の3月15日までに変更申請書を提出するつもりであるため、令和7年分は変更ができないことになる。

⑻　減価償却費（令130）

　　建物（店舗）は平成10年4月1日以後取得の建物のため、旧定額法により償却する。

2．不動産所得に関する事項

⑴　収入計上時期（基通36－5）

　　不動産所得の賃貸料の収入計上時期の原則は、支払日が定められているものについてはその支払日である。

⑵　減価償却費（令120）

　　共同家屋は平成19年4月1日以後取得の建物のため、定額法により償却する。

⑶　不動産業者に対して支払った費用（法37、基通33－7）

　　仲介手数料及び管理手数料は、不動産所得を生ずべき業務に係る費用であるため本来必要経費となるのであるが、本問では、借地権契約に伴う権利金が譲渡所得となるため仲介手数料については譲渡費用となることに留意する。

⑷　青色申告特別控除額（措法25の2）

　　簡易帳簿によっているため、控除額は10万円となる。

3．譲渡所得に関する事項

⑴　借地権契約に伴う権利金（令79）

　　F㈱との間で締結した契約は、建物等の所有を目的としたものであるため借地権契約に該当し、権利金が土地の時価の10分の5を超えているため譲渡行為とみなされる。

⑵　別荘の譲渡に係る取得費（法38）

　　別荘は、業務用資産ではないため、減価の額を計算することになる。

　　この場合、留意すべき点は次のとおりである。

①　同種の減価償却資産の耐用年数の1.5倍の年数（1年未満の端数切捨）を使用する。

②　非業務供用期間の年数は6月未満は切捨、6月以上は切上げて計算する。

③　償却方法は旧定額法に準じて行う。

⑶　有価証券の譲渡（措法37の10、措法37の11）

①　Ｉ株式（一般）

　　1銘柄につき2回以上にわたって取得しているものは、譲渡の都度総平均法に準じて取得費を計算する。なお、この場合において1株当たりに円未満の端数があったときは切上げる（措通37の10・37の11共－14）。

②　ゴルフ会員権

　　ゴルフ会員権は、株式型であろうと預託金型であろうと常に総合課税の譲渡所得に該当する。

4．利子に関する事項

国債は特定公社債に該当するため、その利子は申告分離課税又は申告不要となり、本問では題意により申告不要とする。

5．所得控除に関する事項

(1) 妻（法83、措法8の5）

上場会社からの配当金があるが、申告不要を選択するため、合計所得金額を構成しない。したがって48万円以下となるが、甲の合計所得金額が1,000万円を超えるため、配偶者控除の適用はない。

(2) 長男（法84）

長男は、青色事業専従者に該当するため扶養親族に該当しない。

(3) 次男（法84）

次男は合計所得金額が48万円を超えるため、扶養親族に該当しない。

6．復興特別所得税について（復興財源確保法8〜10、12、13）

平成25年から令和19年までの25年間にわたり、居住者は復興特別所得税（「基準所得税額」の2.1％相当額）を、所得税と合わせて納付しなければならない。

なお、基準所得税額は、「外国税額控除適用前の所得税額」とされているため、復興特別所得税額は、算出税額から外国税額控除以外の税額控除額を控除した金額の2.1％相当額とされる。

解 答

※ □で囲まれた数字は配点を示す。

I 各種所得の金額

摘　要	金　額	計　算　過　程　　　　（単位：円）
利 子 所 得	0	定期預金　7,500（源分） ※　納税準備預金の利子は非課税　□2
配 当 所 得	132,000 □2	(1) 収入金額 　　K株式　　　150,000 (2) 負債の利子 　　$60,000 \times \dfrac{300株}{1,000株} = 18,000$ (3) (1)－(2)＝132,000
不 動 産 所 得	0	(1) 総収入金額 　　賃貸料収入　6,450,000 (2) 必要経費（合計　6,450,000） 　① 諸経費 　　4,850,000 　② 取壊費用 　　500,000　　　□2 　③ 立退料 　　300,000 　④ 資産損失（やり方 □2） 　　イ　1,000,000 　　ロ　(1)－(2)①～③＝800,000 　　ハ　イ＞ロ　∴　800,000 (3) (1)－(2)＝0 ※ 未収賃貸料の回収不能額は、収入計上年の所得を減額する。□2
事 業 所 得	3,545,452	(1) 総収入金額（合計 102,510,000） 　① 売上高 　　　　　　　　　　※1　　　　　※2　　　　※3 　　98,000,000＋60,000＋150,000＋250,000＝98,460,000 □2 　　※1　500,000×70％－290,000＝60,000　　∴　60,000 　　※2　200,000×70％＝140,000＜150,000　　∴　150,000 　　※3　300,000×70％＝210,000≦250,000　　∴　250,000 　② 雑収入 　　3,200,000 　③ 一括償却資産 　　100,000 □2

問題6

解答

—117—

④ 貸倒引当金戻入

750,000

(2) 必要経費（合計　98,314,548）

① 売上原価

$9,650,000+60,760,000-9,822,500^※=60,587,500$ ②

※　$10,950,000>9,822,500$　∴　$9,822,500$

② 営業諸経費

$17,370,000-10,600-28,800-360,000=16,970,600$

③ 利子税

$10,600×\dfrac{13,500,000}{16,350,000^※}(0.83)=8,798$ ②

※　$200,000+500,000+13,500,000+2,000,000$

$+300,000×\dfrac{1}{2}=16,350,000$

④ 同業者団体の加入金

$240,000×\dfrac{10}{5×12}=40,000$ ②

⑤ 同業者団体の年会費

120,000

⑥ 減価償却費（合計　1,020,000）

イ　構築物

$14,000,000×0.050=700,000$

ロ　器具備品A

$180,000×\dfrac{1}{3}=60,000$ ②

ハ　器具備品B

$260,000<300,000$　∴　$260,000$ ②

⑦ 青色事業専従者給与

3,600,000

⑧ 給与

13,500,000

⑨ 貸倒損失

イ　F社、G社　$(50,000+50,000)-2=99,998$

ロ　H社　1,000,000

ハ　イ＋ロ＝1,099,998 ②

⑩ 貸倒引当金繰入

イ　債権の額

$(20,000,000-99,998)+(7,000,000-1,000,000)$

$+300,000+5,000,000=31,200,002$

ロ　実質的に債権とみられない部分の金額

イ×0.203＝6,333,600

—118—

		ハ （イ－ロ）×5.5％＝1,367,652 ②
		(3) 青色申告特別控除額
		(1)－(2)≧650,000 ∴ 650,000
		(4) (1)－(2)－(3)＝3,545,452
譲 渡 所 得 （総合長期）	40,000	I 総　合
		(1) 譲渡損益
		（総長）
		ゴルフ会員権
		880,000－（300,000＋40,000）＝540,000 ②
		(2) 特別控除
		540,000－500,000＝40,000 （総長）
（一般株式等）	627,500	II 株式等
		(1) K株式（一般）
		$1,330,000-(1,500×700株+\overset{※}{17,500}+50,000)＝212,500$ ②
		※　$60,000×\dfrac{700株}{1,000株}×\dfrac{5}{12}＝17,500$
		(2) L株式（一般）
		$3,000,000-(\overset{※}{835}×3,000株+80,000)＝415,000$ ②
		※　$\dfrac{812,000+3,640,000}{1,000株+4,000株}＝891$（円未満切上）
		$\dfrac{891×3,000株+1,500,000}{3,000株+2,000株}＝835$（円未満切上）
		(3) (1)＋(2)＝627,500
山 林 所 得	2,325,000 ②	(1) 総収入金額
		I 山林　6,000,000
		(2) 必要経費
		① 実額
		2,000,000＋440,000＋350,000＝2,790,000
		② 概算
		（6,000,000－350,000）×50％＋350,000＝3,175,000
		③ ①＜② ∴ 3,175,000
		(3) 特別控除額
		(1)－(2)≧500,000 ∴ 500,000
		(4) (1)－(2)－(3)＝2,325,000
雑　　所　　得	522,000 ②	(1) 総収入金額
		J 山林　872,000
		(2) 必要経費
		植林費等　200,000＋100,000＋50,000＝350,000
		(3) (1)－(2)＝522,000

問題
6

解答

II 課税標準

摘　要	金　額	計　算　過　程　　　（単位：円）
総 所 得 金 額	4,219,452	$132,000+3,545,452+40,000\times\dfrac{1}{2}+522,000=4,219,452$
一般株式等に係る譲渡所得等の金額	627,500	
山 林 所 得 金 額	2,325,000	
合　　　計	7,171,952	

III 所得控除額

摘　要	金　額	計　算　過　程　　　（単位：円）
雑 損 控 除	0	(1) 損失の金額 　（判定）　長女　3,500,000＞480,000　　∴　適用なし 　　　　　　　　　※ 　870,000－400,000＝470,000 ② 　※　870,000＞700,000　　∴　870,000 (2) 足切限度額 　7,171,952×10％＝717,195 (3) (1)－(2)＜0　　∴　0
医 療 費 控 除	57,000 ②	(1) (94,000＋63,000)－100,000＝57,000　※ 　※　7,171,952×5％＞100,000　　∴　100,000 (2) 63,000－12,000＝51,000 (3) (1)＞(2)　　∴　57,000
社会保険料控除	863,000	
生命保険料控除	40,000	360,000＞80,000　　∴　40,000
障 害 者 控 除	270,000 ②	妻の母
配 偶 者 控 除	0	青色事業専従者のため、適用なし
配偶者特別控除	0	青色事業専従者のため、適用なし
扶 養 控 除	1,210,000 ②	長　女　　3,500,000＞480,000　　∴　非該当 妻の母　　0≦480,000　　∴　該当（同老） 長　男　　0≦480,000　　∴　該当（特定） 580,000＋630,000＝1,210,000
基 礎 控 除	480,000	7,171,952≦24,000,000　　∴　480,000
合　　　計	2,920,000	

IV 課税所得金額

摘　要	金　額	計　算　過　程　　　（単位：円）
課税総所得金額	1,299,000	4,219,452－2,920,000＝1,299,000
一般株式等に係る課税譲渡所得等の金額	627,000	
課税山林所得金額	2,325,000	〔千円未満切捨〕

V 納付税額

摘 要	金 額	計 算 過 程 （単位：円）
算 出 税 額	275,250	(1) 課税総所得金額に対する税額 　　$1,299,000 \times 5\% = 64,950$ (2) 一般株式等に係る課税譲渡所得等の金額に対する税額 　　$627,000 \times 15\% = 94,050$ (3) 課税山林所得金額に対する税額 　　$2,325,000 \times \dfrac{1}{5} = 465,000$ 　　$465,000 \times 5\% \times 5 = 116,250$ (4) (1)から(3)の合計　275,250
配 当 控 除 額	13,200 ②	$132,000 \times 10\% = 13,200$
基 準 所 得 税 額	262,050	
復興特別所得税の額	5,503	$262,050 \times 2.1\% = 5,503$
所 得 税 及 び 復興特別所得税の額	267,553	
源 泉 徴 収 税 額	30,630 ②	$150,000 \times 20.42\% = 30,630$
申 告 納 税 額	236,900	〔百円未満切捨〕

【配　点】　②×25カ所　　合計50点

問題6

解答

解答への道

1．〔資料Ⅰ〕に関する事項

(1) 売上高に関する事項

① 値引販売による売上（基通40-2（注））

型くずれなどによる値引販売や広告宣伝の一環として行われる値引販売は、たとえ通常の販売価額の70％未満の対価の譲渡であっても、低額譲渡に該当しない。

② 絵画を対価とした売上（法36①②）

金銭以外の物等で収入する場合には、その物等を取得等する時におけるその物等の価額により収入金額の評価をする。したがって、取得した絵画の時価250,000円をもって収入金額とするが、低額譲渡の判定もあることに留意する。

(2) 営業諸経費に関する事項

① 利子税（法45、令97）

延納に係る利子税については、不動産所得、事業所得又は山林所得を生ずべき業務を事業的規模で営んでいる場合に限り必要経費に算入し、必要経費算入額は、確定申告書の記載額で計算する。

なお、本問では不動産所得もあるが、不動産の貸付けは事業的規模で行っていないため、不動産所得の必要経費には算入できないことに留意する。

$$
利子税の納付額×\cfrac{前年分の不動産所得の金額、事業所得の金額、山林所得の金額（所得毎に計算する。）}{※\quad 前年分の各種所得の金額の合計額}\quad（2位未満切上）
$$

※
- ① 赤字の所得、給与所得及び退職所得を除く。
- ② 総合長期譲渡所得、一時所得は2分の1後の金額とする。
- ③ 譲渡所得の金額は、措置法の特別控除後の金額とする。

② 延滞税の額は、必要経費に算入することはできない。（法45）

③ 同業者団体の加入金等

同業者団体の加入金は繰延資産として、5年の償却期間で必要経費に算入するが、年会費は法37の経費として必要経費に算入される。（基通50-3、37-9）

④ 減価償却費に関する事項

イ 構築物

平成28年4月1日以後に取得しているため、定額法により償却する。

ロ 器具備品A

器具備品Aは、本年10月に譲渡しているが、一括償却資産に該当し、業務の性質上基本的に重要なものでないため、その譲渡による所得は譲渡所得ではなく事業所得となる。

なお、一括償却を選択した場合には、たとえ償却の途中で譲渡があった場合においても、

　　３年間の均等償却は継続して行うことに留意する。（令139、令81、基通33－１の２）

　　ハ　器具備品Ｂ

　　　青色申告者である中小事業者が取得した減価償却資産で、一個当たりの取得価額が30万

　　円未満であるものは、その取得年にその取得価額の全額を必要経費に算入することができ

　　る。（措法28の２）

（3）債権に関する事項

　　Ｆ社、Ｇ社の債権は、売掛債権の貸倒れの特例の事実に該当するため、備忘価額（１円以上）

　　を控除した残額を、貸倒損失として必要経費に算入するが、同一地域に取引先が２以上ある場

　　合には、取引先毎に備忘価額を付すことを忘れないこと。（基通51－13）

（4）売上原価に関する事項（令99）

　　甲は、棚卸資産の評価方法につき、最終仕入原価法に基づく低価法を選定しているため、年

　　末棚卸資産の評価は、原価と時価のいずれか低い金額をもって行う。

２．〔資料Ⅱ〕に関する事項

　　甲は、不動産の貸付けを事業的規模で行っていないため、①利子税の必要経費算入、②固定資

　　産等の資産損失、③債権の貸倒損失の取り扱いに注意すること。

（1）利子税の取り扱い（法45、令97）

　　不動産所得は事業的規模ではないため、不動産所得に係る利子税は、必要経費に算入するこ

　　とはできない。

（2）資産損失の取り扱い（法51④）

　　不動産所得は事業的規模ではないため、貸家の取壊しによる資産損失額は、その資産損失額

　　を控除する前の所得を限度として必要経費に算入する。したがって、計算をする際には、必要

　　経費の最後に計算することとなる。また、取壊費用、立退料は法37の経費として、資産損失と

　　は別建てで全額を必要経費に算入する。

（3）未収家賃の取り扱い（法64）

　　不動産所得は事業的規模ではないため、未収家賃の回収不能額はなかったものとみなされる。

　　したがって、前年分の未収家賃は前年に遡って所得金額を減額するため、本年分の所得計算に

　　は影響を及ぼさない。

３．〔資料Ⅲ〕に関する事項

（1）Ｉ山林の譲渡は、保有期間が５年超のものであるため、所得区分は山林所得となる。

　　また、平成22年12月31日以前に取得した山林であるため、必要経費算入額は、次の算式によ

　　り計算した金額となる。（法32、措法30）

(1) 植林費＋取得に要した費用＋管理費＋育成費＋伐採費＋譲渡費用

(2) （収入金額－伐採費等）×50％＋伐採費等

(3) (1)と(2)のいずれか多い金額

(2) Ｊ山林の譲渡は、保有期間が５年以内で、事業と称するに至らない程度の規模のものであるため、所得区分は雑所得となる。（法35、基通35－２）

４．〔資料Ⅴ〕に関する事項

(1) Ｋ株式

　　Ｋ株式は、所有株式1,000株のうち700株を譲渡しているため、譲渡した700株に対応する部分の負債の利子（譲渡月までの分）は、株式等の譲渡益の計算上控除し、年末現在保有している300株に対応する部分の負債の利子は、配当所得の金額の計算上控除する。

(2) Ｌ株式（令118、措通37の10、37の11共－14）

　　Ｌ株式の取得費の計算は、譲渡の都度総平均法に準ずる方法によって計算する。その際に、１円未満の端数があるときは、その端数は切り上げることに留意する。

(3) ゴルフ会員権の譲渡による所得は譲渡所得で総合課税される。

５．〔資料Ⅵ〕に関する事項

　　甲所有の家財は、雑損控除の対象となるが、長女所有の指輪は、長女の課税標準の合計額が48万円を超えているため甲の雑損控除の対象とはならない。（法72）

　　なお、取得した保険金400,000円を、損失の金額から控除することを忘れないこと。

６．〔資料Ⅶ〕、〔資料Ⅷ〕に関する事項

(1) 医療費控除

　　その年中に健康の保持増進について一定の取り組みを行っている居住者が、特定一般用医薬品等購入費（いわゆるスイッチOTC医薬品の購入費用）を支払った場合には、次の計算式で医療費控除額を計算できる。

(1) その年中の医療費の額－10万円又は課税標準の合計額×５％のいずれか小さい金額

　※　200万円が限度とされる。

(2) その年中の特定一般用医薬品等購入費－12,000円

　※　88,000円が限度とされる。

(3) (1)と(2)のいずれか大きい金額

(2) 配偶者控除

　　妻は青色事業専従者であるため、配偶者控除の適用はない。

(3) 扶養控除

　　長男は甲と起居を共にしていないが、常に生活費等の送金が行われているため、同一生計親族に該当する。また、非居住者であるが年齢30歳未満であるため、控除対象扶養親族に該当する。

7. **復興特別所得税について**（復興財源確保法8〜10、12、13）

　　平成25年から令和19年までの25年間にわたり、居住者は復興特別所得税（「基準所得税額」の2.1%相当額）を、所得税と合わせて納付しなければならない。

　　なお、基準所得税額は、「外国税額控除適用前の所得税額」とされているため、復興特別所得税額は、算出税額から外国税額控除以外の税額控除額を控除した金額の2.1%相当額とされる。

問題7			解　答

※　□で囲まれた数字は配点を示す。

I　各種所得の金額

摘　　要	金　　額	計　算　過　程　　（単位：円）
利 子 所 得	0	普通預金　1,800（源分）②
不 動 産 所 得	3,699,000	(1)　総収入金額（合計　19,370,000 ②） 　①　賃貸料収入 　　　17,610,000＋100,000×4月＝18,010,000 ② 　②　礼金収入 　　　444,000 　③　敷金収入 　　　566,000 ② 　④　更新料収入 　　　350,000 (2)　必要経費（合計　15,021,000） 　①　諸経費 　　　14,113,000 　②　減価償却費 　　　34,000,000×0.022＝748,000 　③　貸倒損失 　　　160,000 ② (3)　青色申告特別控除額 　　　(1)−(2)≧650,000　　∴　　650,000 ② (4)　(1)−(2)−(3)＝3,699,000
事 業 所 得	4,892,125	(1)　総収入金額（合計　59,010,500） 　①　売上高 　　　　　　　　※1　　　※2　　　※3 　　　54,487,000＋16,000＋187,000＋370,000＝55,060,000 　　※1　友人乙に対する売上 　　　　280,000×70%−180,000＝16,000 ② 　　※2　家事消費 　　　　250,000×70%＝175,000＜187,000 　　　　　　　　　　　　　　　　∴　187,000 ②

— 126 —

※3　A市立小学校に対する寄附

　　　　$500,000 \times 70\% = 350,000 < 370,000$　　∴　370,000

　② 雑収入

　　　$3,824,000 - 1,800 = 3,822,200$　2

　③ 貸倒引当金戻入額

　　　128,300

(2) 必要経費（合計　54,118,375）

　① 売上原価

　　　$3,908,750 + 36,210,000 - \overset{※}{3,533,750} = 36,585,000$　2

　　※　年末商品棚卸高（合計　3,533,750）

　　　イ　B商品　$1,590,000 - 265,000 + 70,000 = 1,395,000$

　　　　　　　　　$1,320,000 - 220,000 + 70,000 = 1,170,000$

　　　　　　　　　$1,395,000 > 1,170,000$　　∴　1,170,000

　　　ロ　C商品　$1,335,000 - 111,250 + 40,000 = 1,263,750$

　　　　　　　　　$1,344,000 - 112,000 + 40,000 = 1,272,000$

　　　　　　　　　$1,263,750 < 1,272,000$　　∴　1,263,750

　　　ハ　D商品　$1,110,000 > 1,100,000$　　∴　1,100,000

　② 諸経費

　　　$16,916,375 - 180,000 + 90,000 = 16,826,375$　2

　③ アーケード負担金

　　　$180,000 \times \dfrac{3\,\text{月}}{\underset{※}{5\,\text{年}} \times 12\,\text{月}} = 9,000$　2

　　※　5年 < 15年　　∴　5年

　④ 減価償却費（合計　544,000）

　　イ　店舗

　　　　$12,000,000 \times 0.9 \times 0.030 = 324,000$

　　ロ　備品E

　　　　$424,000 \times 0.125 = 53,000$

　　ハ　車両

　　　　$500,000 \times \overset{※}{0.334} \times \dfrac{12}{12} = 167,000$　2

　　　※　（5年 － 2年）＋ 2年 × 0.2 ＝ 3.4年 → 3年

　　　　　　　　　　　　　　　　　　　　∴　0.334

　⑤ 貸倒引当金繰入額

　　　$(3,500,000 - 700,000) \times 5.5\% = 154,000$　2

(3) (1) － (2) ＝ 4,892,125

問題
7

解答

－ 127 －

譲 渡 所 得 (分 離 長 期)	769,000	(1) 別荘の敷地(分離長期) $30,000,000 - 27,000,000 = 3,000,000 \leqq 30,000,000 \times 20\%$ ∴ 交換の特例の適用あり ① 3,000,000 ② $(21,800,000 + 510,000^{※}) \times \dfrac{3,000,000}{30,000,000} = 2,231,000$ ※ $612,000 \times \dfrac{30,000,000}{30,000,000 + 6,000,000} = 510,000$ ③ ① - ② = 769,000 ② (2) 別荘(分離長期) $7,000,000 - 6,000,000 = 1,000,000 \leqq 7,000,000 \times 20\%$ ∴ 交換の特例の適用あり $6,000,000 \leqq 7,000,000$ ∴ 譲渡はなかったものとみなす ②
一 時 所 得	150,000 ②	(1) 総収入金額 2,700,000 (2) 支出した金額 $1,500,000 + 550,000 = 2,050,000$ (3) 特別控除額 (1) - (2) ≧ 500,000 ∴ 500,000 (4) (1) - (2) - (3) = 150,000

Ⅱ 課税標準

摘　　　要	金　　　額	計　算　過　程　　　(単位:円)
総 所 得 金 額	8,666,125	$3,699,000 + 4,892,125 + 150,000 \times \dfrac{1}{2} = 8,666,125$ (総)
長 期 譲 渡 所 得 の 金 額	769,000	
合　　　計	9,435,125	

Ⅲ　所得控除額

摘　要	金　額	計　算　過　程　（単位：円）
雑 損 控 除	0	(1)　500,000 ② (2)　9,435,125×10％＝943,512 (3)　(1)−(2)＜0　　∴　0
社会保険料控除	1,008,000	
医 療 費 控 除	737,500 ②	(350,000＋392,500＋35,000＋60,000)−100,000※＝737,500 ※　9,435,125×5％＞100,000　　∴　100,000
寄 附 金 控 除	368,000 ②	370,000−2,000＝368,000※ ※　370,000≦9,435,125×40％　　∴　370,000
配 偶 者 控 除	260,000 ②	1,960,000−(700,000−200,000)−500,000＝960,000 960,000×$\frac{1}{2}$＝480,000≦480,000　　∴　260,000
配偶者特別控除	0	適用なし
扶 養 控 除	1,590,000 ②	長　男　2,555,000＞480,000　　∴　適用なし 次　女　1,030,000−550,000＝480,000≦480,000 　　　　　　　　　　∴　適用あり（扶養親族） 次　男　適用あり（特定扶養親族） 甲の母　適用あり（同居老親等） 380,000＋630,000＋580,000＝1,590,000
障 害 者 控 除	750,000 ②	甲の母（同居特別障害者）
基 礎 控 除	480,000 ②	9,435,125 ≦ 24,000,000　　　　∴　480,000
合　　計	5,193,500	

Ⅳ　課税所得金額

摘　要	金　額	計　算　過　程　（単位：円）
課税総所得金額	3,472,000	8,666,125−5,193,500＝3,472,000
課 税 長 期 譲 渡 所 得 金 額	769,000	〔千円未満切捨〕

V 納付税額

摘　　要	金　額	計　算　過　程　　　（単位：円）
算　出　税　額	382,250	(1) 課税総所得金額に係る税額 　　3,472,000×20%−427,500＝266,900 (2) 課税長期譲渡所得金額に係る税額 　　769,000×15%＝115,350 (3) (1)＋(2)＝382,250
住宅借入金等 特別控除額	27,100	120㎡≧50㎡、9,435,125≦20,000,000　∴　適用あり 3,872,000≦20,000,000　∴　3,872,000 3,872,000×0.7%＝27,100（百円未満切捨）②
基準所得税額	355,150	
復興特別所得税の額	7,458	355,150×2.1%＝7,458
所得税及び 復興特別所得税の額	362,608	
源泉徴収税額	0	
申告納税額	362,600	〔百円未満切捨〕

【配　点】　②×25カ所　　合計50点

1 〔資料Ⅰ〕について

(1) 売上高

① 友人乙に対する売上（法40、基通39－1、39－2）

通常の販売価額の70%未満の対価による販売であるため、販売価額の70%相当額との差額を追加計上する。

なお、この場合に仕入価額との比較はないことに留意する。

② バーゲンセールによる売上（基通40－2）

バーゲンセールによる売上は低額譲渡の対象にならないことに留意する。

③ 家事消費（法39、基通39－1、39－2）

通常の販売価額の70%相当額と仕入価額のいずれか多い方を収入計上する。

④ A市立小学校に対する寄附（法40、78、基通39－1、39－2）

通常の販売価額の70%相当額と仕入価額のいずれか多い方を収入計上する。

なお、この場合に収入計上した金額は特定寄附金に該当し、寄附金控除の適用があることに留意する。

```
寄 附 金   370,000円 ／ 売 上 高   370,000円
        ⇩                    ⇩
      特定寄附金            事業所得の収入
```

(2) 普通預金の利子（法23）

事業付随収入とはならず、利子所得として源泉分離課税とされる。

(3) 売上原価（法47、令101、103）

① 評価方法の変更

棚卸資産の評価方法を変更する場合には、変更しようとする年の3月15日までに変更申請書を提出しなければならないため、本問の場合は認められない。

② 年末商品棚卸高

甲は、低価法を選定しているため、それぞれの商品ごとに最終仕入原価法による評価額と年末における時価のいずれか低い方を評価額とする。

なお、B商品については、破損商品があるため、最終仕入原価法による評価額と年末における時価のそれぞれについて、年末時における処分可能価額に付け替えなければならない。

また、C商品については、棚ざらしにより価額が低下し、今後通常の方法により販売できないものがあるため、最終仕入原価法による評価額と年末における時価のそれぞれについて、年末時における処分可能価額に付け替えなければならない。

(4)　アーケード負担金（基通50－3、5）

　　繰延資産に該当し、5年（その耐用年数が5年未満の場合には、その耐用年数）で償却する。

(5)　固定資産税（基通37－6）

　　固定資産税などの納期が分割して定められているものについては、原則として、賦課決定を受けた年分の必要経費となる。従って、第4期分の納付額についても本年分の必要経費に算入される。

(6)　車両の減価償却（耐省令3、耐通1－5－2）

　　中古資産の耐用年数は、原則として個々に耐用年数を見積もることになるが、それが困難である場合には、次の算式により耐用年数を求めることになる。

---

(1)　法定耐用年数を全部経過

　　法定耐用年数×0.2

(2)　法定耐用年数を一部経過

　　（法定耐用年数－経過年数）＋経過年数×0.2

2　〔資料Ⅱ〕について

(1)　賃貸料収入（法36、基通36－5）

　①　賃借人Ⅰに係る賃貸料

　　　値上請求に係る係争であるため、係争期間中は、賃借人が供託した金額を、原則どおり支払日基準で計上する。したがって、本年10月分から翌年1月分の供託金額を収入計上する。

　②　賃借人Ｊに係る賃貸料

　　　明渡請求に係る係争であるため、和解等があるまでは収入金額を計上せず、和解等時に一括計上する。したがって、本年において賃借人が供託した金額はあるが、未だ係争中であるため、収入計上しないことに留意する。

(2)　礼金収入、敷金収入及び更新料収入（法36、基通36－6、36－7）

　　礼金収入及び更新料収入は、契約の効力発生日等で収入計上するため、いずれも本年分の収入となる。

　　敷金収入は、返還不要が確定した都度、その金額を収入計上するため、本年契約して受けた分については本年における収入計上額はない。

　　ただし、前年以前に受けた分（修繕費分）は返還不要となっているため収入計上しなければならない。

(3)　未収賃貸料の回収不能（法51②）

　　甲は、不動産所得に係る業務を事業的規模で行っている（5棟10室基準を満たす）ため、未収賃貸料の回収不能により生じた損失の金額は、その全額が、その損失の生じた日の属する年分の必要経費に算入される。

3 〔資料Ⅲ〕について

固定資産の交換の特例（法58、基通58－10）

別荘の敷地及び別荘の交換については、法58（固定資産の交換の特例）の適用要件を満たすため、その適用（課税の繰延）を受ける。

なお、譲渡費用は、別荘の敷地と別荘のそれぞれの譲渡資産の時価の比で按分することになる。

4 〔資料Ⅳ〕について

生命保険契約の満期保険金（法34、令183、基通34－1）

甲は、甲の父の死亡により生命保険契約の権利を相続しているため、生命保険契約に基づいて取得した一時金は、全額甲の一時所得として課税される。

5 〔資料Ⅴ〕について

居住用家屋のリフォーム（措法41）

償還期間が10年以上（10年）の銀行借入金をもって、工事費用が100万円を超えるリフォーム（増改築等）をしており、本年分の合計所得金額が2,000万円以下であるため、住宅借入金等特別控除の適用がある。

なお、控除額は年末借入金残高（2,000万円限度）の0.7％相当額となるが、百円未満の端数は切り捨てられることに留意する。

6 〔資料Ⅵ〕について

盗難による損害（法62、法72）

甲は、現金の盗難による損失について、雑損控除の適用を受けることができる。

妻は、盗難により、絵画について損害を受けているが、絵画（時価30万円超）は生活に通常必要でない資産に該当するため、その損失の金額（原価ベース）は、妻の譲渡所得の金額の計算上控除すべき金額とみなす。

7 〔資料Ⅶ〕について

(1) 医療費控除（法73、基通73－1）

体力増進剤の購入費、人間ドックの費用、医師に対する謝礼は医療費控除の対象とならない。

なお、長女は、医療費を支出した時点で甲と同一生計であったため、長女に係る医療費も控除の対象になることに留意する。

(2) 配偶者控除（法83）

妻は総合長期の譲渡益があるが、法62（生活に通常必要でない資産の損失の控除）と50万円特別控除の適用により合計所得金額が48万円以下となるため、控除対象配偶者に該当する。

なお、甲の合計所得金額が900万円超950万円以下であるため、控除額は26万円となる。

8 復興特別所得税について（復興財源確保法8〜10、12、13）

平成25年から令和19年までの25年間にわたり、居住者は復興特別所得税（「基準所得税額」の2.1％相当額）を、所得税と合わせて納付しなければならない。

問題7

解答

なお、基準所得税額は、「外国税額控除適用前の所得税額」とされているため、復興特別所得税額は、算出税額から外国税額控除以外の税額控除額を控除した金額の2.1％相当額とされる。

問 題 8			解 答	

※ □で囲まれた数字は配点を示す。

Ⅰ 各種所得の金額

摘　　要	金　　額	計　算　過　程　（単位：円）
利 子 所 得	0	公社債の利子 $65,827＋4,125＋12,548＝82,500$（源分）□2
配 当 所 得	50,000 □2	(1) 収入金額 　　$98,282＋6,500＋25,218＝130,000$ (2) 負債の利子 　　80,000（Q株式） (3) $(1)－(2)＝50,000$
事 業 所 得	7,118,899	(1) 総収入金額（合計　34,870,200） 　① 売上高 　　34,670,000 　② 雑収入 　　$364,309－65,827－98,282＝200,200$ (2) 必要経費（合計　27,751,301） 　① 売上原価 　　$24,186,000－3,440,000＝20,746,000$ □2 　② 営業費 　　$10,746,000－84,000－2,500,000－985,000－2,800,000$ 　　$＝4,377,000$ 　③ 借家権利金等（合計　225,625）□2 　　イ　$(600,000＋300,000×50\%)×\dfrac{9}{4×12}＝140,625$ 　　ロ　85,000 　④ 減価償却費（合計　1,342,676） 　　イ　店　舗 　　　　$\overset{※1}{28,584,000}×\overset{※2}{0.038}×\dfrac{11}{12}＝995,676$ □2 　　　※1　$26,000,000＋84,000＋2,500,000＝28,584,000$ 　　　※2　（34年－8年）＋8年×0.2＝27.6年　⇨　27年 　　　　　　　　　　　　　　　　　　　　　〔1年未満切捨〕

問題8

解答

— 135 —

<table>
<tr><td></td><td></td><td>
ロ　備品H
$97,000 < 100,000$　　∴　$97,000$ [2]
ハ　備品 I
$300,000 \times 0.250 \times \dfrac{10}{12} \times 4\,台 = 250,000$ [2]
⑤　貸倒引当金（一括評価貸金を設定していないこと [2]）
$400,000 \times 50\% = 200,000$（J 社）[2]
⑥　事業専従者控除（やり方 [2]）
イ　860,000
ロ　$\dfrac{(1) - (2)① \sim ⑤}{1 + 1} = 3,989,449$
ハ　イ＜ロ　　∴　860,000
(3)　$(1) - (2) = 7,118,899$
</td></tr>
<tr><td>給 与 所 得</td><td>5,941,600 [2]</td><td>
(1)　収入金額
7,824,000
※　出張旅費、出産祝金及び通勤手当は非課税 [2]
(2)　給与所得控除額
$(7,824,000 - 6,600,000) \times 10\% + 1,760,000 = 1,882,400$
(3)　$(1) - (2) = 5,941,600$
</td></tr>
<tr><td>退 職 所 得</td><td>5,475,000 [2]</td><td>
(1)　収入金額
22,450,000
(2)　退職所得控除額
$8,000,000 + 700,000 \times (25\,年 - 20\,年) = 11,500,000$
(3)　$((1) - (2)) \times \dfrac{1}{2} = 5,475,000$
</td></tr>
<tr><td>譲 渡 所 得
（総 合 長 期）</td><td>840,000</td><td>
I　総　合
(1)　譲渡損益
ゴルフ会員権（総合長期）
$6,000,000 - (4,000,000 + 60,000) = 1,940,000$ [2]
※　重要文化財の国への譲渡は非課税 [2]
(2)　生活に通常必要でない資産の損失の控除
$1,940,000 - 600,000 = 1,340,000$ [2]
(3)　特別控除
$1,340,000 - 500,000 = 840,000$
</td></tr>
</table>

（分 離 長 期）	356,250	Ⅱ　土地建物等	

土地Ⅿ（分離長期）

$20,000,000 - 18,500,000 \leqq 20,000,000 \times 20\%$

∴　法58の適用あり

(1)　1,500,000

(2)　$(14,000,000 + 1,250,000) \times \dfrac{1,500,000}{18,500,000 + 1,500,000}$

$= 1,143,750$

(3)　(1)−(2)=356,250 ②

一 時 所 得	4,500,000 ②	

(1)　総収入金額

10,000,000

(2)　支出した金額

$3,800,000 + 1,200,000 = 5,000,000$

(3)　特別控除額

(1)−(2)≧500,000　　∴　500,000

(4)　(1)−(2)−(3)=4,500,000

雑 所 得	150,000 ②	（匿名組合）

Ⅱ　課税標準

摘　要	金　額	計　算　過　程　　　　（単位：円）
総所得金額	15,930,499	$50,000 + 7,118,899 + 5,941,600 + 150,000$
長期譲渡所得の金　　　　額	356,250	$+ (840,000 + 4,500,000) \times \dfrac{1}{2} = 15,930,499$
退職所得金額	5,475,000	
合　　計	21,761,749	

Ⅲ　所得控除

摘　要	金　額	計　算　過　程　　　　（単位：円）
医 療 費 控 除	1,900,000 ②	$(2,069,500 - 65,000 - 4,500) - \overset{※}{100,000} = 1,900,000$ ※　$21,761,749 \times 5\% > 100,000$　∴　100,000
生命保険料控除	38,500 ②	$30,000 + (74,000 - 40,000) \times \dfrac{1}{4} = 38,500$
配 偶 者 控 除	0	事業専従者であるため非該当
配偶者特別控除	0	事業専従者であるため非該当

摘 要	金 額	計 算 過 程
扶 養 控 除	580,000 ②	（長男）所得なし　∴　16歳未満のため非該当 （長女）所得なし　∴　16歳未満のため非該当 （ 母 ）所得なし　∴　該当（580,000）
基 礎 控 除	480,000	21,761,749 ≦ 24,000,000　　∴　480,000
合 計	2,998,500	

Ⅳ 課税所得金額

摘 要	金 額	計 算 過 程　　　　（単位：円）
課税総所得金額	12,931,000	15,930,499－2,998,500＝12,931,000
課税長期譲渡所得金額	356,000	
課税退職所得金額	5,475,000	〔千円未満切捨〕

Ⅴ 納付税額

摘 要	金 額	計 算 過 程　　　　（単位：円）
算 出 税 額	3,452,130	(1)　課税総所得金額に係る所得税額 　　　12,931,000×33％－1,536,000＝2,731,230 (2)　課税長期譲渡所得金額に係る所得税額 　　　356,000×15％＝53,400 (3)　課税退職所得金額に係る所得税額 　　　5,475,000×20％－427,500＝667,500 (4)　(1)＋(2)＋(3)＝3,452,130
配 当 控 除 額	0	外国株式に係るものであるため適用なし
住宅借入金等特別控除額	0 ②	21,761,749＞20,000,000　　∴　適用なし
基準所得税額	3,452,130	
復興特別所得税の額	72,494	3,452,130×2.1％＝72,494
所得税及び復興特別所得税の額	3,524,624	
外国税額控除額	6,500	(1)　6,500 (2)　$3,452,130 \times \dfrac{130,000}{21,761,749}＝20,622$ (3)　(1)＜(2)　　∴　6,500（やり方 ②）
源泉徴収税額	4,918,360 ②	25,218＋278,222＋4,584,290＋30,630＝4,918,360
申 告 納 税 額	△1,400,236	

【配　点】　②×25カ所　　合計50点

1 【資料Ⅰ】に関する事項

(1) 甲は青色申告の承認申請をしていないため、白色申告者に該当する。

(2) 特定公社債に該当しない外国公社債の利子は、国内における支払の取扱者を経由して受けたものであるため、次の金額が源泉徴収され、利子所得で源泉分離課税となる。なお、外国所得税について、外国税額控除の適用はないことに注意する。(措法3)

> 利子の額 $\times$ 15%[※] $-$ 外国所得税額 $=$ 源泉徴収税額
>
> ※ 上記源泉徴収税額×2.1%の復興税が徴収される。
>
> ※ この他住民税が5%特別徴収される。

(3) 外国株式の配当は、国内における支払の取扱者を経由して受けたものであるため、次の金額が源泉徴収され、配当所得で総合課税（申告不要の金額要件を満たさないため）となる。なお、総合課税とされるため、外国所得税について、外国税額控除の適用があることに注意する。(法22、89、95)

> (配当等の額－外国所得税の額) $\times$ 20.42% $=$ 源泉徴収税額

(4) 年末商品棚卸高に関し、帳簿上と実地上の差額は減耗損であるが、税務上は、最初から実地上で評価し売上原価を算定する。

(5) 開業費は、会計上の繰延資産であるため、支出年分に全額必要経費に算入する。(令7①一)

(6) 業務用資産に係る借入金の利子は、業務開始前の期間に係るものは取得価額に算入し、業務開始以後の期間に係るものは、必要経費に算入する。(基通37-27、38-8)

(7) 店舗の改良費は、中古の建物購入時に支出したものであるため、取得価額に算入する。

(8) 建物の賃借に際し支払った金銭は借家権利金として、繰延資産に該当する。(令7①三)

　なお、支出した金銭のうち、権利金及び保証金の返還されない部分が償却の対象となること及び仲介手数料は支出時に全額必要経費に算入できることに注意する。(基通2-27(注))

　また、借家権利金の償却期間は原則5年であるが、5年以内の契約期間（本問では4年）で、契約終了後に再び支払いを要することが明らかなものは、その契約期間となる。(基通50-3)

(9) 建物の賃借料は、短期前払費用であるため、全額必要経費に算入される。(基通37-30の2)

(10) 甲は、白色申告者であるため、青色事業専従者給与の特例を受けることはできない。

　ただし、妻は3月より甲の事業に専従している（6月超従事）ため、事業専従者に該当し、事業専従者控除の適用がある。なお、控除額の計算は次のとおりであるが、この計算は、必要経費の一番最後に行うことに注意する。(法57③)

①	860,000円
②	$\dfrac{\text{この規定適用前の事業に係る事業所得の金額}}{\text{事業専従者の数 ＋ 1}}$
③	①と②のいずれか低い金額

(11) 店舗は中古の資産であり、耐用年数を見積もることが困難であるため、次の算式で耐用年数を算定する。

> （法定耐用年数−経過年数）＋経過年数×0.2
>
> 　（注）1年未満の端数は切捨、最低2年

(12) 備品Hは、取得価額が10万円未満であるため、少額減価償却資産に該当し、全額必要経費に算入する。（令138）

(13) 甲は、白色申告者であるため、貸倒引当金のうち、個別評価貸金等に係るもののみ設定が認められる。

　なお、J社は、本年中に手形の不渡りを出した後、翌年において手形交換所の取引停止処分を受けているが、形式基準による繰入は、本年から行えることに注意する。（基通52−11）

　また、形式基準による場合は、支払手形は実質的に債権とみられないものに該当しない。

2　【資料Ⅱ】に関する事項

(1) 出張旅費は、旅費規程に基づき支給されたものであるため、実際支出額を超えている部分も含めて非課税とされる。（法9①四）

(2) 出産祝金は、社会通念上相当と認められるため、非課税とされる。（基通28−5）

(3) 一月あたり15万円以下の通勤手当は非課税とされる。（法9①五）

3　【資料Ⅲ】に関する事項

(1) 土地Mは、友人が所有する土地と交換したものであり、交換の特例の4要件（同一区分、同一用途、互いに1年以上所有、時価の差額がいずれか大きい価額の20%以下）を満たすため、交換の特例の適用がある。

　なお、この場合の譲渡所得の金額の計算方法は次のとおりである。（令168）

交換譲渡資産の価額【A】、交換取得資産の価額【B】

区分	受取交換差金等なし (【A】 ≦ 【B】)	受取交換差金等あり (【A】 ＞ 【B】)
譲渡所得の金額	譲渡はなかったものとみなす	(1) 総収入金額 　　受取交換差金等（a） (2) 取得費・譲渡費用 $\left[\overset{※}{取得費}+\dfrac{譲渡}{費用}\right] \times \dfrac{（a）}{【B】＋（a）}$ 　　※　5％基準の適用あり (3) (1)－(2)

(2) 株式型のゴルフ会員権の譲渡は、譲渡所得で総合課税となる。

(3) 国等に対する重要文化財の譲渡は非課税となる。（措法40の2）

4　【資料Ⅳ】に関する事項

(1) 甲を被保険者とする満期一時金は、一時所得で総合課税となる。

　　なお、父が負担した保険料は、令和3年の父死亡時に甲に対して権利課税がされることになるため、甲が負担したものとして取り扱われる。（基通34−4）

(2) Q株式購入のための負債の利子は、無配の株式に係るものであるが、配当所得で控除される。

(3) 匿名組合の利益の分配は、原則雑所得として課税される。（基通36・37共−21）

　　なお、20.42％の源泉徴収がされることに注意する。（法210）

(4) 償還期間10年以上の借入金をもって、認定住宅の新築を行い、6月以内に居住の用に供しているが、甲の合計所得金額が2,000万円超のため、住宅借入金等特別控除の適用はない。（措法41）

(5) 絵画は、時価が30万円を超えるため、生活に通常必要でない資産に該当し、その盗難による損失は、譲渡所得の金額の計算上控除すべき金額とみなす。（法62）

5　医療費控除に関する事項

(1) 妻の出産費用は、医療費控除の対象となる。

　　また、出産後の新生児に対する保健指導等の費用も対象となる。（基通73−7）

(2) 人間ドックの費用は、検査の結果異常が発見され、直ちに治療しているため、控除の対象となる。（基通73−4）

(3) 差額ベッド代は、治療のため必要と認められる場合には、控除の対象となる。

　　本問では、病室に空きがなかったことによるため、控除の対象となる。

(4) 医師等に対する謝礼及び診断書の作成費用は、控除の対象とならない。

(5) 市販薬の購入代金も控除の対象となる。

問題8

解答

6 　【資料Ⅵ】に関する事項

(1)　妻は、事業専従者に該当するため、配偶者控除等の適用はない。（法2①三十三）

(2)　母は、病気により入院中であるが、同居として取り扱われる。

　　　したがって、同居老親等として控除額は58万円となる。

7 　**外国税額控除に関する事項**

　　総合課税される外国株式の配当については、配当控除の適用はなく、外国税額控除の適用を受ける。

　　控除額は次のとおりである。

(1)　その外国所得税額
(2)　配当控除及び措置法の税額控除後の算出税額 $\times$ $\dfrac{国外所得総額}{合計所得金額}$ （$\dfrac{100}{100}$ を限度）
(3)　(1)と(2)のいずれか低い金額

問 題 9

解 答

※　□で囲まれた数字は配点を示す。

I　各種所得の金額

所得の種類	金　　額	計　　算　　過　　程　　（単位：円）
利 子 所 得	0	特定公社債　25,000（申不）
配 当 所 得	708,750 ②	(1) 収入金額（合計　708,750） 　①　公募株式等投資信託　135,000（申不）② 　②　K株式　187,500 　③　L株式　281,250 　④　M株式　200,000（申不） 　⑤　N株式　540,000−500×0.200×3,000株＝240,000 (2) 負債の利子 　　0 (3) (1)−(2)＝708,750
不 動 産 所 得	0	(1) 総収入金額 　　140,000 ② (2) 必要経費 　　0 (3) 青色申告特別控除額 　　(1)−(2)＝140,000＜650,000　∴　140,000 (4) (1)−(2)−(3)＝0
事 業 所 得	20,541,670	(1) 総収入金額（合計　49,952,500）② 　①　売上高　47,210,500 　②　雑収入 　　　3,412,000−450,000−80,000−140,000＝2,742,000 　　※　車両の損害及び甲の治療費に係る損害賠償金は非課税 (2) 必要経費（合計　28,900,830） 　①　売上原価 　　　22,965,000−6,334,230 ※ ＝16,630,770 ② 　　※　6,390,000＞6,334,230　∴　6,334,230 　②　営業諸経費（360,000を計上していること ②） 　　　9,665,000−75,000−1,340,000−635,000＝7,615,000 　③　借家権償却 　　　$1,340,000 \times \dfrac{7月}{3年 \times 12月} = 260,556$ ②

問題9 解答

④ 資産損失

　イ　$3,500,000-3,500,000\times0.333\times\dfrac{4}{12}=3,111,500$

　ロ　$3,111,500-2,600,000=511,500$

　ハ　$511,500-450,000=61,500$　②

⑤ 修繕費

　$635,000-511,500=123,500$　②

⑥ 減価償却費（合計　2,654,004）

　イ　店　舗

　　$36,000,000\times0.034\times\dfrac{7}{12}=714,000$

　ロ　車　両（合計　688,754　②）

　　(イ)　$3,500,000\times\dfrac{511,500}{3,111,500}=575,365$

　　　$575,365\times0.333\times\dfrac{4}{12}=63,866$

　　(ロ)　$(3,500,000-575,365)\times0.333\times\dfrac{7}{12}=568,111$

　　(ハ)　$511,500\times0.333\times\dfrac{4}{12}=56,777$

　ハ　器具備品

　　$275,000<300,000$　∴　$275,000$　②

　ニ　機械装置

　　$1,650,000\geqq1,600,000$　∴　特別償却の適用あり

　　$1,650,000\times0.500\times\dfrac{7}{12}+1,650,000\times30\%$

　　$=976,250$　②

⑦ 開業費　450,000　②

⑧ 貸倒引当金（合計　1,105,500）　②

　イ　個別評価

　　$(800,000-250,000)\times50\%=275,000$

　ロ　一括評価

　　$(8,560,000+7,340,000-800,000)\times5.5\%$

　　$=830,500$

(3) 青色申告特別控除額
　　　　　　　　　　　※
　(1)−(2)≧510,000　∴　510,000

　※　$650,000-140,000=510,000$

(4)　(1)−(2)−(3)＝20,541,670

給 与 所 得	1,630,800 ②	(1) 収入金額 　　2,429,000－72,000－60,000＋150,000＝2,447,000 　※　通勤手当及び出張旅費は非課税 (2) 所得の金額 　　2,447,000÷4＝611,000（千円未満切捨） 　　611,000×2.8－80,000＝1,630,800
退 職 所 得	3,000,000 ②	(1) 収入金額 　　12,000,000 　※　永年勤続記念品は非課税 (2) 退職所得控除額 　　平成23年2月1日～令和7年3月31日 ⇨ 　　　　　　　　　　　　　　15年（1年未満切上） 　　400,000×15年＝6,000,000 (3) ｛(1)－(2)｝×$\frac{1}{2}$＝3,000,000
譲 渡 所 得 （一般株式等） 120,000		(1) 一般株式等 　　N株式 　　(540,000－240,000)－300×0.200×3,000株＝120,000 ②
（上場株式等）	1,707,000	(2) 上場株式等 　① O株式 　　申告不要 　② Q株式 　　4,877,000－(3,130,000＋40,000)＝1,707,000 ② 　③ ①＋②＝1,707,000
雑 　 所 　 得	51,000 ②	(1) 総収入金額 　　J組合債　51,000 (2) 必要経費 　　0 (3) (1)－(2)＝51,000

問題9

解答

－145－

II 課税標準

区　　分	金　　額	計　算　過　程　　　　　　　　（単位：円）
総 所 得 金 額	22,932,220	708,750＋20,541,670＋1,630,800＋51,000＝22,932,220
一般株式等に係る 譲渡所得等の金額	120,000	
上場株式等に係る 譲渡所得等の金額	1,707,000	
退 職 所 得 金 額	3,000,000	
合　　　計	27,759,220	

III 所得控除額

区　　分	金　　額	計　算　過　程　　　　　　　　（単位：円）
社会保険料控除	1,150,250	
医 療 費 控 除	523,000 ②	※ 623,000－100,000＝523,000 ※　27,759,220×5％＞100,000　∴　100,000 （注）甲の治療費　72,000＜80,000　∴　0
生命保険料控除	38,750 ②	30,000＋(75,000－40,000)×$\frac{1}{4}$＝38,750
配 偶 者 控 除	0	適用なし
配偶者特別控除	0	適用なし
扶 養 控 除	580,000 ②	長　男　青色事業専従者　∴　非該当 甲の母　所得なし　∴　該当（同居老親等）
障 害 者 控 除	750,000	甲の母
基 礎 控 除	0	25,000,000＜27,759,220　　　∴　適用なし
合　　　計	3,042,000	

IV 課税所得金額

区　　分	金　　額	計　算　過　程　　　　　　　　（単位：円）
課税総所得金額	19,890,000	22,932,220－3,042,000＝19,890,000
一般株式等に係る課税 譲渡所得等の金額	120,000	
上場株式等に係る課税 譲渡所得等の金額	1,707,000	
課税退職所得金額	3,000,000	
		〔千円未満切捨〕

Ⅴ 納付税額

区　　分	金　　額	計　算　過　程　　　　（単位：円）
算　出　税　額	5,636,550	(1) 課税総所得金額に対する税額 　　19,890,000×40％－2,796,000＝5,160,000 (2) 一般株式等に係る課税譲渡所得等の金額に対する税額 　　120,000×<u>15％</u>＝18,000 　　　　　　② (3) 上場株式等に係る課税譲渡所得等の金額に対する税額 　　1,707,000×15％＝256,050 (4) 課税退職所得金額に対する税額 　　3,000,000×10％－97,500＝202,500 (5) (1)～(4)の合計＝5,636,550
配　当　控　除　額	35,437 ②	708,750×5％＝35,437
基　準　所　得　税　額	5,601,113	
復興特別所得税の額	117,623	5,601,113×2.1％＝117,623
所　得　税　及　び 復興特別所得税の額	5,718,736	
源　泉　徴　収　税　額	2,793,776 ②	187,500×20.42％＋281,250×20.42％＋240,000×20.42％ ＋198,650＋12,000,000×20.42％＝2,793,776
申　告　納　税　額	2,924,900	〔百円未満切捨〕

【配　点】　②×25カ所　　合計50点

問題
9

解答

問1について

1 役員報酬等（法9①四、五、28）

役員報酬は、給与所得として課税されるが、通勤手当は月額15万円以下のものであり、また、出張旅費は旅費規程に基づき支給されたものであるため、実際支出額を超える部分を含めて非課税となる。

ただし、接待交際費については、精算を要しないもの（渡切交際費）であるため、給与所得として課税される。

なお、所得金額を計算する際に、参考資料の使い方に注意すること。

2 役員退職金等（法30、基通36−21）

役員退職金は、退職所得として課税されるが、永年勤続記念品は、社会通念上相当と認められるものであるため、非課税となる。

なお、甲は、使用人であった期間について以前に退職金の支給を受けており、かつ、今回の退職金の計算の基礎期間に使用人であった期間は含まれていないため、今回の退職所得控除額の計算の基礎となる勤続期間は役員として勤務していた期間（平成23年2月1日から令和7年3月31日）となる。

また、甲は、「退職所得の受給に関する申告書」を提出していないため、源泉徴収税額は20.42％相当額となる。

3 青色申告の承認申請書等（法57②、144、令100、123）

青色申告の承認申請書及び青色事業専従者給与の届出書については、開業日から2月以内に提出すればよい。

また、棚卸資産の評価方法及び減価償却資産の償却方法の届出書は、開業日の属する年の確定申告期限までに提出すればよい。

4 損害賠償金（法9①、令94）

(1) 車両の損害に係るものは、固定資産の損害に係るものであるため非課税となるが、資産損失額の計算上、損失の額から控除することに留意する。

(2) 商品の損害に係るものは、棚卸資産に係るものであるため課税される。

(3) 収益補償に係るものは、収入金額に代わる性質のものであるため課税される。

(4) 甲の治療費に係るものは、身体の傷害に係るものであるため非課税とされるが、医療費控除額の計算上、医療費の額から控除することに留意する。

5 売上原価（法47）

廃棄処分とした商品に係る損失額は、売上原価の計算を通じて必要経費に算入されるため、仕入高から控除する必要はない。

6　損害保険料（基通36・37共－18の２）

　　保険期間が３年以上で、満期返戻金が支払われる契約（長期損害保険契約）であるため、満期
　返戻金の基礎とされる保険料（積立保険料）は必要経費不算入となる。

7　倉庫の賃借に際して支払った金額（法２①二十、50、基通２－27、37－30の２、50－３）

（1）権利金については、繰延資産（借家権利金）として償却を行う。なお、契約期間が５年未満
　　（３年）で、更新時に再び権利金（更新料）を支払う契約であるため、償却期間は３年となる。
　　　また、仲介手数料については、繰延資産としないで、必要経費算入とできることに留意する。

（2）賃借料については、支払日から１年以内のものであるため、短期前払費用となり、全額本年
　　分の必要経費に算入できる。

8　車両の資産損失等（法51、令142、基通49－31、51－２、３）

（1）資産損失

①　取得価額－損失発生日までの減価償却費＝損失発生直前の未償却残額
②　①－損失発生直後の時価＝資産損失の基礎価額
③　②－損害賠償金＝必要経費算入額

（2）修理費用（原状回復費用）

支出した費用の額－資産損失の基礎価額＝必要経費算入額
※　資産損失の基礎価額相当額は資本的支出となる。

（3）減価償却費（次の①～③の合計）

①　損壊部分

$$取得価額 \times \frac{資産損失の基礎価額}{損失発生直前の未償却残額} = 損壊部分の取得価額（A）$$

$$（A）を基礎とした年償却費 \times \frac{業務供用月数}{12}$$

②　その他部分

$$（取得価額－（A））を基礎とした年償却費 \times \frac{業務供用月数}{12}$$

③　資本的支出部分

$$資本的支出を基礎とした年償却費 \times \frac{業務供用月数}{12}$$

9　減価償却費（法49、令120、措法10の３、措法28の２）

（1）器具備品については、甲が青色申告者、かつ、中小事業者であり、器具備品の取得価額が30
　　万円未満であるため、全額必要経費に算入できる。

（2）機械装置については、新品で取得価額が160万円以上のものであり、かつ、甲が青色申告者で
　　あるため、取得価額の30％相当額の特別償却ができる。なお、税額控除の適用も考えられるが、
　　本問では不利となる。

10　開業準備費用（法2①二十、50、令137）

　　物品販売業を開業するまでの間に、開業準備のために特別に支出したものであるため、開業費
　（会計上の繰延資産）となり、全額必要経費に算入できる。

11　債権に関する処理（法51②、52、基通51-13）

　(1)　E商店とは最後に取引を行ってから1年以上を経過していないため、E商店に対する債権を
　　　貸倒損失として処理することはできない。

　(2)　F株式会社に対する債権は、民事再生法の規定による再生手続開始の申立てがあったため、
　　　個別評価貸金等としてその50％相当額を、貸倒引当金繰入額として必要経費に算入する。

　　　　なお、同社に対する買掛金は実質的に債権とみられないものとして債権から控除されること
　　　に留意する。

12　利子、配当等に関する処理（法23、24、35、措法3、8の5、9の3）

　(1)　特定公社債の利子は、利子所得で申告不要となる。

　(2)　J組合債の利子は、雑所得で総合課税（源泉徴収なし）となる。

　(3)　公募株式等投資信託の収益の分配は、源泉徴収率は20.315％（所得税15.315％、住民税5％）
　　　となり、その金額に関係なく申告不要とできる。

　(4)　K株式の配当は、非上場株式に係るものであるため、源泉徴収率は20.42％となり、配当所得
　　　で総合課税となる。なお、その金額が10万円を超えるため申告不要とすることはできない。

　(5)　L株式の配当は、非上場株式に係るものであるため、源泉徴収率は20.42％となり、配当所得
　　　で総合課税となる。なお、その金額が10万円を超えるため申告不要とすることはできない。

　(6)　M株式の配当は、上場株式（持株割合3％未満）に係るものであるため、源泉徴収率は20.315％
　　　（所得税15.315％、住民税5％）となり、その金額に関係なく申告不要とできる。

13　N株式に係る処理（法25、措法37の10）

　　資本の払戻しを受けているため、みなし配当及び株式等の譲渡計算をしなければならない。な
　お、N株式は非上場株式であるため、配当に係る源泉徴収率は20.42％となり、また、一般株式等
　に係る譲渡所得等の金額に対する税率は15％となることに留意する。

　(1)　みなし配当

$$交付金銭等 - \frac{資本金等の額 \times 払戻等割合}{発行済株式総数} \times 所有株数 = みなし配当$$

　(2)　株式等に係る譲渡所得等の金額

$$（交付金銭等 - みなし配当） - 所有株式に係る取得価額 \times 払戻等割合 = 譲渡所得の金額$$

14　**株式の譲渡**（措法37の10、37の11の3、37の11の4、37の11の5）

　　O株式は、特定口座を通じて譲渡した特定口座内保管上場株式等に該当し、かつ、その所得の
金額について源泉徴収がされているため、申告不要とすることができる。

　※　他の上場株式等に譲渡損が生じている場合などは、申告した方が有利となる。

15　**復興特別所得税について**（復興財源確保法8～10、12、13）

　　平成25年から令和19年までの25年間にわたり、居住者は復興特別所得税（「基準所得税額」の
2.1%相当額）を、所得税と合わせて納付しなければならない。

　　なお、基準所得税額は、「外国税額控除適用前の所得税額」とされているため、復興特別所得税
額は、算出税額から外国税額控除以外の税額控除額を控除した金額の2.1%相当額とされる。

問 題 10　　　　　　　　　　　解　答

I　各種所得の金額

摘　要	金　額	計　算　過　程　　　　（単位：円）
配 当 所 得	158,400 ②	(1) 収入金額（合計　158,400） 　① 　A株式 　　128,000（申不） 　② 　B株式 　　158,400　　② 　③ 　H株式 　　16,000（申不） (2) 負債の利子 　　0 (3) (1)－(2)＝158,400
不 動 産 所 得	780,966	(1) 総収入金額（合計　5,292,000）② 　① 　賃貸料収入 　　3,920,000 　② 　敷金償却 　　1,960,000×20％＝392,000 　③ 　礼金収入 　　980,000 (2) 必要経費（合計　3,861,034） 　① 　諸経費 　　2,130,000 　② 　借入金利子 　　210,000－42,000＝168,000　② 　③ 　登記費用 　　460,000＋389,000＝849,000　② 　④ 　減価償却費 　　アパート 　　$(42,800,000＋42,000)×0.050×\dfrac{4}{12}＝714,034$　② (3) 青色申告特別控除額 　　(1)－(2)≧650,000　　∴　　650,000 (4) (1)－(2)－(3)＝780,966
事 業 所 得	23,398,139	(1) 総収入金額（合計　78,416,600） 　① 　売上高 　　70,521,600

② 保険金収入

    4,800,000 ☒

③ 雑収入

    3,295,000－200,000＝3,095,000

  ※ 災害見舞金は非課税

(2) 必要経費（合計 55,018,461）

① 売上原価

    9,280,000＋38,900,000－8,960,000＝39,220,000 ☒

② 営業諸経費

    21,208,000－544,000－15,000,000－1,260,000

    ＝4,404,000

③ 海外渡航費

$$360,000＋184,000 \times \frac{8日－2日}{8日}＝498,000 \;☒$$

④ 中小企業倒産防止共済の掛金

    240,000 ☒

⑤ 資産損失額

  イ $24,900,000－36,000,000 \times 0.050 \times \dfrac{7}{12}＝23,850,000$

  ロ 23,850,000－14,000,000＝9,850,000

  ハ 9,850,000－8,000,000＝1,850,000 ☒

⑥ 原状回復費用

    15,000,000－9,850,000＝5,150,000

⑦ 減価償却費（合計 2,069,461）

  イ 店舗（合計 1,695,461）☒

    (イ) $36,000,000 \times \dfrac{9,850,000}{23,850,000}＝14,867,924$

        $14,867,924 \times 0.050 \times \dfrac{7}{12}＝433,648$

    (ロ) $(36,000,000－14,867,924) \times 0.050＝1,056,604$

    (ハ) $9,850,000 \times 0.050 \times \dfrac{5}{12}＝205,209$

  ロ 倉庫

    $8,000,000 \times 0.067 \times \dfrac{3}{12}＝134,000$

  ハ 器具備品F

    240,000＜300,000 ∴ 240,000 ☒

⑧ 貸倒引当金繰入額（合計 1,587,000）

  イ 個別評価

    (800,000＋2,000,000)×50％＝1,400,000 ☒

		ロ　一括評価 $(2,400,000-800,000+3,800,000-2,000,000)$ $\times 5.5\%=187,000$　2 (3)　(1)－(2)＝23,398,139
譲渡所得 （分離長期）	3,678,667	I　土地建物等 (1)　倉庫（分長） 　　　　　　　　　　　※1　　　　　※2 $4,000,000-(3,973,333+120,000)=\triangle93,333$　2 　※1　$4,107,333-134,000=3,973,333$ 　※2　$1,260,000\times\dfrac{4,000,000}{4,000,000+38,000,000}=120,000$ (2)　倉庫の敷地（分長） 　　$45,500,000+1,555,000=47,055,000 > 38,000,000$ ①　　$38,000,000\times20\%=7,600,000$ 　　　　　　　　　　　　　　　　※ ②　　$(18,000,000+1,140,000)\times20\%=3,828,000$ 　※　$1,260,000\times\dfrac{38,000,000}{4,000,000+38,000,000}=1,140,000$ ③　　①－②＝3,772,000　2 (3)　(1)＋(2)＝3,678,667
（上場株式等）	822,000	II　株式等 (1)　H株式 　　$1,950,000-(1,200,000+24,000)=726,000$　2 (2)　I株式 　　$1,068,000-972,000=96,000$ (3)　(1)＋(2)＝822,000
雑　　所　　得	314,600　2	(1)　総収入金額（合計　967,400） ①　還付加算金 　　7,400 ②　生保の年金 　　$928,635+31,365=960,000$ (2)　必要経費 　　$960,000\times\dfrac{6,480,000}{9,600,000}$　(0.68)　$=652,800$ (3)　(1)－(2)＝314,600

II　課税標準

摘　要	金　額	計　算　過　程　（単位：円）
総 所 得 金 額	24,652,105	158,400＋780,966＋23,398,139＋314,600＝24,652,105
長期譲渡所得の金額	3,678,667	
上場株式等に係る 譲渡所得等の金額	822,000	
合　　　計	29,152,772	

III　所得控除額

摘　要	金　額	計　算　過　程　（単位：円）
社会保険料控除	768,000	
小規模企業共済等 掛　金　控　除	432,000 ②	
生命保険料控除	99,000 ②	(1)　一般分 　　　186,000＞100,000　　∴　　50,000 (2)　個人年金分 　　　$37,500＋(96,000－50,000)\times\dfrac{1}{4}＝49,000$ (3)　(1)＋(2)＝99,000
寄 附 金 控 除	898,000 ②	※ 900,000－2,000＝898,000 ※　500,000＋400,000＝900,000≦29,152,772×40% 　　　　　　　　　　　　　　　　　　　　∴　　900,000
障 害 者 控 除	750,000	甲の母
配 偶 者 控 除	0	適用なし
配偶者特別控除	0	適用なし
扶 養 控 除	1,340,000	長　男　　0≦480,000　　∴　　該当（一般） 長　女　　0≦480,000　　∴　　該当（一般） 甲の母　　0≦480,000　　∴　　該当（同老） 380,000＋380,000＋580,000＝1,340,000
基 礎 控 除	0	25,000,000＜29,152,772　　∴　　適用なし
合　　　計	4,287,000	

IV　課税所得金額

摘　要	金　額	計　算　過　程　（単位：円）
課税総所得金額	20,365,000	24,652,105－4,287,000＝20,365,000
課税長期譲渡 所 得 金 額	3,678,000	
上場株式等に係る課税 譲渡所得等の金額	822,000	〔千円未満切捨〕

問題10 解答

Ⅴ 納付税額

摘　　要	金　　額	計　算　過　程　　　　（単位：円）
算　出　税　額	6,025,000	(1) 課税総所得金額に対する税額 　　20,365,000×40%−2,796,000＝5,350,000 (2) 課税長期譲渡所得金額に対する税額 　　3,678,000×15%＝551,700 (3) 上場株式等に係る課税譲渡所得等の金額に対する税額 　　822,000×15%＝123,300　② (4) (1)＋(2)＋(3)＝6,025,000
配　当　控　除　額	7,920	158,400×5%＝7,920　②
基　準　所　得　税　額	6,017,080	
復興特別所得税の額	126,358	6,017,080×2.1%＝126,358
所　得　税　及　び 復興特別所得税の額	6,143,438	
源　泉　徴　収　税　額	63,710 ②	158,400×20.42%＋31,365＝63,710
申　告　納　税　額	6,079,700	〔百円未満切捨〕

【配　点】　②×25カ所　　合計50点

1. 〔資料 I〕に関する事項

(1) 「青色申告承認申請書」の提出期限

「青色申告承認申請書」の提出期限は、その年3月15日まで（その年1月16日以後新規業務開始の場合は、その業務開始日から2月以内）である（法144）。

本問の場合には、前年以前（平成27年）から小売業を営んでいるため、提出期限は本年3月15日までであり、3月3日に提出しているため、適法である。

また、その申請については、その年12月31日まで（その年11月1日以後新規業務開始の場合は、翌年2月15日まで）に処分がない場合には、同日において承認があったものとみなされる（法146、147）。

したがって、甲は本年分の所得税から青色申告者となる。

(2) 棚卸資産の評価方法

棚卸資産の評価方法は、開業年の翌年3月15日までに選定し、届出なければならない。なお、届出がない場合には、法定評価方法（最終仕入原価法）で評価しなければならない（令100、102）。

(3) 減価償却資産の償却方法

減価償却資産の償却方法は、開業年の翌年3月15日までに選定し、届出なければならない。なお、届出がない場合には、法定償却方法（定額法）で償却しなければならない（令123、令125）。

本問の場合には、届出をしていないため、定額法で償却する。

(4) 売上高に関する事項

年末大売出しによる売上は、たとえ、通常の販売価額の70%未満の対価によるものであっても、低額譲渡に該当しない（基通40−2）。

(5) 不動産の売却収入に関する事項

倉庫及びその敷地の譲渡は、譲渡所得で分離課税される。

なお、倉庫及びその敷地は、いずれも1月1日における所有期間が10年を超えており、また、甲は土地を購入し、その上にアパートを建設し、貸付けの用に供しているため、特定事業用資産の買換えの特例の適用が受けられる（措法37）。

(6) 保険金収入に関する事項

① 店舗の損害に基因して支払を受けるもの

非課税となる（法9①十八、令30①）。

ただし、店舗の資産損失額の計算上控除する（法51①）。

② 商品の損害に基因して支払を受けるもの

収入金額に代わる性質を有するものであるため、事業所得の金額の計算上、総収入金額に算入する（令94）。

(7) 雑収入に関する事項

① 仕入割戻

仕入割戻の収入計上時期は、次の区分に応じ、それぞれ次に掲げる日となる（基通36・37共－11）。

イ 算定基準が購入価額等によっており、かつ、その算定基準が明示されている場合	購入した日
ロ イ以外の場合	通知を受けた日

本問の場合には、イに該当するため、適正な処理がされている。

② 災害見舞金

火災に遭ったことにより見舞として受ける金品は、広く一般に社会的な慣習として行われているものであるため、取引先などから受けるものであっても、社会通念上相当なものであれば非課税とされる（基通9－23）。

(8) 事業主借に関する事項

① A株式の配当金

持株割合が3％未満の上場株式に係る配当金であるため、金額に関係なく申告不要とすることができる（措法8の5）。

本問の場合には、課税総所得金額に係る税率が40％であるため、申告不要が有利となる。

② B株式の配当金

B株式会社は非上場会社であり、金額要件を満たさないため、申告不要とすることはできず、総合課税とする。

③ 所得税の還付金及び還付加算金

イ 所得税の還付金は、課税関係は生じない。

ロ 還付金に付せられる還付加算金は、雑所得で総合課税となる（法35、基通35－1）。

④ 生命保険契約に基づく年金

雑所得で総合課税となる（法35、基通35－1）。

なお、これに係る必要経費は、次により計算する。

$$年金の額 \times \frac{支払保険料の額}{年金の支給総額} \quad （2位未満切上）$$

(9) 債権に関する事項

① E商店に対する債権

E商店は、民事再生法の規定による再生手続開始の申立てを行っているため、個別評価により貸倒引当金を設定する（法52①）。

② ①以外の債権

一括評価により貸倒引当金を設定する（法52②）。

なお、仕入割戻の未収金は、貸倒引当金の設定対象とはならない（基通52－17）。

(10) 減価償却等に関する事項

① 店　舗

店舗は、本年火災により一部焼失しているため、次の算式により、資産損失額、原状回復費用の額（修繕費）及び減価償却費の額を計算する（法51①、令142、基通49－31(1)、51－2、51－3）。

イ　資産損失額

> (1) 年初未償却残額－損失発生日までの減価償却費＝損失発生直前の未償却残額
>
> (2) (1)－損失発生直後の時価＝資産損失の基礎価額
>
> (3) (2)－保険金等の額＝資産損失額

ロ　原状回復費用の額（修繕費）

> 原状回復費用の額－資産損失の基礎価額＝修繕費

※　原状回復費用の額のうち、資産損失の基礎価額に達するまでの部分の金額は、資本的支出とされる。

ハ　減価償却費

> (1) 損壊等部分
>
>　① 取得価額【A】× $\dfrac{\text{資産損失の基礎価額}}{\text{損失発生直前の未償却残額}}$ ＝【B】
>
>　② 【B】の年償却費× $\dfrac{\text{1月1日から損失発生日までの月数}}{12}$
>
> (2) その他部分
>
>　｛【A】－【B】｝を基礎として計算した償却費
>
> (3) 資本的支出部分
>
>　資本的支出部分の年償却費× $\dfrac{\text{業務供用日から12月31日までの月数}}{12}$

② 倉　庫

倉庫は本年3月に譲渡しているため、3カ月分の償却を行う（法49、令132①二）。

③ 器具備品F

青色申告者である中小事業者が取得した減価償却資産で、取得価額が30万円未満であるものは、その取得年に全額必要経費に算入することができる（措法28の2）。

(11) 廃棄した商品に関する事項

廃棄した商品については、売上原価自動算入となるため、何ら処理をする必要はない。

(12) 営業諸経費に関する事項

① 海外渡航費

海外渡航の直接の動機が事業の遂行のためであるため、次により計算した金額を、旅費として必要経費に算入する（基通37－21）。

なお、事業に従事していない同伴者の旅費は、原則として必要経費に算入されないが、その海外渡航の目的を達成するために、外国語に堪能な親族などを同伴する場合には、同伴者の費用についても、事業主と同様の取扱いとなる（基通37－20）。

$$往復の旅費＋滞在費等 \times \frac{事業の遂行上直接必要と認められる日数}{海外渡航の全日数}$$

② 売上割戻

売上割戻の必要経費算入時期は、次の区分に応じ、それぞれ次に掲げる日となる（基通36・37共－8）。

イ　算定基準が販売価額等によっており、かつ、その算定基準が明示されている場合	販売した日
ロ　イ以外の場合	通知をした日又は支払った日

本問の場合には、ロに該当するため、適正な処理がされている。

③ 損害賠償金

業務上の事由に基づく損害賠償金で、事業主に故意又は重大な過失がないものは、その債務確定年分の必要経費に算入される（法45①八、令98）。

なお、その年12月31日までに、その損害賠償金の総額が確定していなくても、同日までに相手方に申し出た金額を必要経費に算入することができる（基通37－2の2）。

(13) 事業主貸に関する事項

① 中小企業倒産防止共済の掛金

中小企業倒産防止共済の掛金は、その支出年分の事業所得の金額の計算上、必要経費に算入される（措法28）。

② 確定拠出型年金の掛金

確定拠出年金法に規定する個人型年金加入者掛金は、小規模企業共済等掛金控除の対象となる（法75）。

③ 社会福祉法人に対する寄附金

社会福祉法人に対する寄附金は、所得控除と税額控除（公益社団法人等寄附金特別控除）との選択適用となるが、本問では指示に従い、寄附金控除による（法78）。

④ 政党に対する寄付金

政党に対する寄付金は、所得控除と税額控除（政党等寄附金特別控除）の選択適用となる

が、本問では指示に従い、寄附金控除による。（法78）。

(14) 年末商品棚卸高に関する事項

甲は、棚卸資産の評価方法を選定していないため、最終仕入原価法で評価しなければならない。

2．〔資料Ⅱ〕に関する事項

(1) 倉庫及びその敷地の譲渡関係

① 倉庫及びその敷地は、ともに特定事業用資産の買換えの特例の譲渡資産に該当するため、倉庫のみを譲渡資産とすることも、その敷地のみを譲渡資産とすることも、両者をともに譲渡資産とすることもできる（措通37－19）。

② アパート及びその敷地は、ともに特定事業用資産の買換えの特例の買換資産に該当するため、アパートのみを買換資産とすることも、その敷地のみを買換資産とすることも、両者をともに買換資産とすることもできる（措通37－19）。

③ ①及び②より、譲渡所得の金額及びアパートに係る減価償却費を踏まえた上で、最も有利となるように処理をしなければならない。

本問の場合には、倉庫は通常どおり譲渡課税しても、譲渡損となるため、譲渡資産は倉庫の敷地のみを選択する。また、アパートは買換資産とすると取得価額が圧縮され、減価償却費が少なくなるため、買換資産はアパートの敷地のみを選択するのが最も有利となる。

(2) アパート及びその敷地に係る諸費用

① 登記費用

いずれも必要経費に算入する（基通37－5）。

② 土地の取得に係る仲介手数料

取得した土地の取得価額に算入する（法38）。

③ アパートの取得に係る借入金の利子

業務開始前（貸付け開始前）の期間に係るものは取得価額に算入し、業務開始以後の期間に係るものは必要経費に算入する（基通37－27、38－8）。

④ アパートの入居者斡旋に係る手数料

不動産所得の金額の計算上、必要経費に算入される（法37）。

3．〔資料Ⅲ〕に関する事項

H株式の配当金は、15.315％（このほか住民税5％）が源泉徴収され、金額に関係なく申告不要とすることができる。

本問の場合には、課税総所得金額に係る税率が40％であるため、申告不要が有利である。

税理士受験シリーズ

2025年度版　16　所得税法　総合計算問題集　基礎編

（平成20年度版　2007年10月15日　初版　第1刷発行）

2024年11月1日　初　版　第1刷発行

編　著　者	Ｔ　Ａ　Ｃ　株　式　会　社	
	（税理士講座）	
発　行　者	多　　田　　敏　　男	
発　行　所	Ｔ　Ａ　Ｃ株式会社　出版事業部	
	（ＴＡＣ出版）	

〒101-8383
東京都千代田区神田三崎町3-2-18
電話 03 (5276) 9492 (営業)
ＦＡＸ 03 (5276) 9674
https://shuppan.tac-school.co.jp

印　　　　刷	株式会社　ワ　　コ　　ー	
製　　　　本	株式会社　常　川　製　本	

© TAC 2024　　Printed in Japan

ISBN 978-4-300-11316-5
N.D.C. 336

乱丁・落丁による交換、および正誤のお問合せ対応は、該当書籍の改訂版刊行月末日までといたします。なお、交換につきましては、書籍の在庫状況等により、お受けできない場合もございます。
また、各種本試験の実施の延期、中止を理由とした本書の返品はお受けいたしません。返金もいたしかねますので、あらかじめご了承くださいますようお願い申し上げます。

2025年合格目標コース

反復学習でインプット強化! & 豊富な演習量で実践力強化!

対象者：初学者／次の科目の学習に進む方

2024年				2025年							
9月	10月	11月	12月	1月	2月	3月	4月	5月	6月	7月	8月

9月入学 基礎マスター＋上級コース（簿記・財表・相続・消費・酒税・固定・事業・国徴）
3回転学習！年内はインプットを強化、年明けは演習機会を増やして実践力を鍛える！
※簿記・財表は5月・7月・8月・10月入学コースもご用意しています。

9月入学 ベーシックコース（法人・所得）
2回転学習！週2ペース、8ヵ月かけてインプットを鍛える！

9月入学 年内完結＋上級コース（法人・所得）
3回転学習！年内はインプットを強化、年明けは演習機会を増やして実践力を鍛える！

12月・1月入学 速修コース（全11科目）
7ヵ月～8ヵ月間で合格レベルまで仕上げる！

3月入学 速修コース（消費・酒税・固定・国徴）
短期集中で税法合格を目指す！

税理士試験

対象者：受験経験者（受験した科目を再度学習する場合）

2024年				2025年							
9月	10月	11月	12月	1月	2月	3月	4月	5月	6月	7月	8月

9月入学 年内上級講義＋上級コース（簿記・財表）
年内に基礎・応用項目の再確認を行い、実力を引き上げる！

9月入学 年内上級演習＋上級コース（法人・所得・相続・消費）
年内から問題演習に取り組み、本試験時の実力維持・向上を図る！

12月入学 上級コース（全10科目）
※住民税の開講はございません
講義と演習を交互に実施し、答案作成力を養成！

税理士試験

※2024年7月12日時点の情報です。最新の情報は、TAC 税理士講座ホームページをご確認ください。

"入学前サポート"を活用しよう!

無料セミナー &個別受講相談

無料セミナーでは、税理士の魅力、試験制度、科目選択の方法や合格のポイントをお伝えしていきます。セミナー終了後は、個別受講相談でみなさんの疑問や不安を解消します。

TAC 税理士 セミナー 検索

https://www.tac-school.co.jp/kouza_zeiri/zeiri_gd_gd.htm

無料Webセミナー

TAC動画チャンネルでは、校舎で開催しているセミナーのほか、Web限定のセミナーも多数配信しています。受講前にご活用ください。

TAC 税理士 動画 検索

https://www.tac-school.co.jp/kouza_zeiri/tacchannel.html

体　験　入　学

教室講座開講日(初回講義)は、お申込み前でも無料で講義を体験できます。講師の熱意や校舎の雰囲気を是非体感してください。

TAC 税理士 体験 検索

https://www.tac-school.co.jp/kouza_zeiri/zeiri_gd_gd.htm

税理士11科目 Web体験

「税理士11科目Web体験」では、TAC税理士講座で開講する各科目・コースの初回講義をWeb視聴いただけるサービスです。講義の分かりやすさを確認いただき、学習のイメージを膨らませてください。

TAC 税理士 検索

https://www.tac-school.co.jp/kouza_zeiri/taiken_form.html

税理士講座のご案内

チャレンジコース

受験経験者・独学生待望のコース！

4月上旬開講！

開講科目	簿記・財表・法人 所得・相続・消費

基礎知識の底上げ ✕ 徹底した本試験対策

チャレンジ講義 ➕ チャレンジ演習 ➕ 直前対策講座 ➕ 全国公開模試

受験経験者・独学生向けカリキュラムが一つのコースに！

※チャレンジコースには直前対策講座（全国公開模試含む）が含まれています。

直前対策講座

5月上旬開講！

本試験突破の最終仕上げ！

直前期に必要な対策が
すべて揃っています！

学習メディア	教室講座・ビデオブース講座 Web通信講座・DVD通信講座・資料通信講座

＼ 全11科目対応 ／

開講科目	簿記・財表・法人・所得・相続・消費 酒税・固定・事業・住民・国徴

- 徹底分析！「試験委員対策」
- 即時対応！「税制改正」
- 毎年的中！「予想答練」

※直前対策講座には全国公開模試が含まれています。

チャレンジコース・直前対策講座ともに詳しくは2月下旬発刊予定の
「チャレンジコース・直前対策講座パンフレット」をご覧ください。

全国公開模試

6月中旬実施!

全11科目実施

TACの模試はここがスゴイ!

① 信頼の母集団

2023年の受験者数は、会場受験・自宅受験合わせて10,316名!この大きな母集団を分母とした正確な成績(順位)を把握できます。

信頼できる実力判定

10,316名が受験!

※11科目延べ人数

② 本試験を擬似体験

全国の会場で緊迫した雰囲気の中「真の実力」が発揮できるかチャレンジ!

③ 個人成績表

現時点での全国順位を確認するとともに「講評」等を通じて本試験までの学習の方向性が定まります。

④ 充実のアフターフォロー

解説Web講義を無料配信。また、質問電話による疑問点の解消も可能です。

※TACの受講生はカリキュラム内に全国公開模試の受験料が含まれています(一部期別申込を除く)。

直前オプション講座

6月中旬～8月上旬実施!

最後まで油断しない!ここからのプラス5点!

【重要理論確認ゼミ】
～理論問題の解答作成力UP!～

【ファイナルチェック】
～確実な5点UPを目指す!～

【最終アシストゼミ】
～本試験直前の総仕上げ!～

全国公開模試および直前オプション講座の詳細は4月中旬発刊予定の
「全国公開模試パンフレット」「直前オプション講座パンフレット」をご覧ください。

会計業界への就職・転職支援サービス

TPB

TACの100%出資子会社であるTACプロフェッションバンク（TPB）は、会計・税務分野に特化した転職エージェントです。勉強された知識とご希望に合ったお仕事を一緒に探しませんか? 相談だけでも大歓迎です! どうぞお気軽にご利用ください。

人材コンサルタントが無料でサポート

Step1 相談受付
完全予約制です。HPからご登録いただくか、各オフィスまでお電話ください。

Step2 面　談
ご経験やご希望をお聞かせください。あなたの将来について一緒に考えましょう。

Step3 情報提供
ご希望に適うお仕事があれば、その場でご紹介します。強制はいたしませんのでご安心ください。

正社員で働く

- ●安定した収入を得たい
- ●キャリアプランについて相談したい
- ●面接日程や入社時期などの調整をしてほしい
- ●今就職すべきか、勉強を優先すべきか迷っている
- ●職場の雰囲気など、求人票でわからない情報がほしい

TACキャリアエージェント
https://tacnavi.com/

派遣で働く（関東のみ）

- ●勉強を優先して働きたい
- ●将来のために実務経験を積んでおきたい
- ●まずは色々な職場や職種を経験したい
- ●家庭との両立を第一に考えたい
- ●就業環境を確認してから正社員で働きたい

TACの経理・会計派遣
https://tacnavi.com/haken/

※ご経験やご希望内容によってはご支援が難しい場合がございます。予めご了承ください。　※面談時間は原則お一人様30分とさせていただきます。

自分のペースでじっくりチョイス

正社員・アルバイトで働く

- ●自分の好きなタイミングで就職活動をしたい
- ●どんな求人案件があるのか見たい
- ●企業からのスカウトを待ちたい
- ●WEB上で応募管理をしたい

Webで

TACキャリアナビ
https://tacnavi.com/kyujin/

就職・転職・派遣就労の強制は一切いたしません。会計業界への就職・転職を希望される方への無料支援サービスです。どうぞお気軽にお問い合わせください。

 TACプロフェッションバンク

■ 有料職業紹介事業 許可番号13-ユ-010678 ■ 一般労働者派遣事業 許可番号（派）13-010932
■ 特定募集情報等提供事業 届出受理番号51-募-000541

東京オフィス
〒101-0051
東京都千代田区神田神保町 1-103
東京パークタワー 2F
TEL.03-3518-6775

大阪オフィス
〒530-0013
大阪府大阪市北区茶屋町 6-20
吉田茶屋町ビル 5F
TEL.06-6371-5851

名古屋 登録会場
〒453-0014
愛知県名古屋市中村区則武 1-1-7
NEWNO 名古屋駅西 8F
TEL.0120-757-655

10860572

TAC出版 書籍のご案内

TAC出版では、資格の学校TAC各講座の定評ある執筆陣による資格試験の参考書をはじめ、資格取得者の開業法や仕事術、実務書、ビジネス書、一般書などを発行しています！

TAC出版の書籍

*一部書籍は、早稲田経営出版のブランドにて刊行しております。

資格・検定試験の受験対策書籍

- ✪日商簿記検定
- ✪建設業経理士
- ✪全経簿記上級
- ✪税　理　士
- ✪公認会計士
- ✪社会保険労務士
- ✪中小企業診断士
- ✪証券アナリスト

- ✪ファイナンシャルプランナー(FP)
- ✪証券外務員
- ✪貸金業務取扱主任者
- ✪不動産鑑定士
- ✪宅地建物取引士
- ✪賃貸不動産経営管理士
- ✪マンション管理士
- ✪管理業務主任者

- ✪司法書士
- ✪行政書士
- ✪司法試験
- ✪弁理士
- ✪公務員試験(大卒程度・高卒者)
- ✪情報処理試験
- ✪介護福祉士
- ✪ケアマネジャー
- ✪電験三種　ほか

実務書・ビジネス書

- ✪会計実務、税法、税務、経理
- ✪総務、労務、人事
- ✪ビジネススキル、マナー、就職、自己啓発
- ✪資格取得者の開業法、仕事術、営業術

一般書・エンタメ書

- ✪ファッション
- ✪エッセイ、レシピ
- ✪スポーツ
- ✪旅行ガイド (おとな旅プレミアム/旅コン)

2025年度版 税理士試験対策書籍のご案内

TAC出版では、独学用、およびスクール学習の副教材として、各種対策書籍を取り揃えています。学習の各段階に対応していますので、あなたのステップに応じて、合格に向けてご活用ください!

（刊行内容、発行月、装丁等は変更することがあります）

● 2025年度版 税理士受験シリーズ

「税理士試験において長い実績を誇るTAC。このTACが長年培ってきた合格ノウハウを"TAC方式"としてまとめたのがこの「税理士受験シリーズ」です。近年の豊富なデータをもとに傾向を分析、科目ごとに最適な内容としているので、トレーニング演習に欠かせないアイテムです。」

TAC出版

TAC PUBLISHING Group

消費税法

25	消 費 税 法	個別計算問題集	（10月）
26	消 費 税 法	総合計算問題集 基礎編	（10月）
27	消 費 税 法	総合計算問題集 応用編	（12月）
28	消 費 税 法	過去問題集	（12月）
41	消 費 税 法	理論マスター	（ 8月）
※	消 費 税 法	理論マスター 暗記音声	（ 9月）
42	消 費 税 法	理論ドクター	（12月）
	消 費 税 法	完全無欠の総まとめ	（12月）

固定資産税

29	固定資産税	計算問題＋過去問題集	（12月）
43	固定資産税	理論マスター	（ 8月）

事業税

30	事 業 税	計算問題＋過去問題集	（12月）
44	事 業 税	理論マスター	（ 8月）

住民税

31	住 民 税	計算問題＋過去問題集	（12月）
45	住 民 税	理論マスター	（12月）

国税徴収法

32	国税徴収法	総合問題＋過去問題集	（12月）
46	国税徴収法	理論マスター	（ 8月）

※暗記音声はダウンロード商品です。TAC出版書籍販売サイト「サイバーブックストア」にてご購入いただけます。

●2025年度版 みんなが欲しかった！税理士 教科書＆問題集シリーズ

「効率的に税理士試験対策の学習ができないか？ これを突き詰めてできあがったのが、「みんなが欲しかった！税理士 教科書＆問題集シリーズ」です。必要十分な内容をわかりやすくまとめたテキスト（教科書）と内容確認のためのトレーニング（問題集）が1冊になっているので、効率的な学習に最適です。」

みんなが欲しかった！ 税理士簿記論の教科書&問題集 1 損益会計編 （8月）
みんなが欲しかった！ 税理士簿記論の教科書&問題集 2 資産会計編 （8月）
みんなが欲しかった！ 税理士簿記論の教科書&問題集 3 資産・負債・純資産会計編 （9月）
みんなが欲しかった！ 税理士簿記論の教科書&問題集 4 構造論点・その他編 （9月）

みんなが欲しかった！ 税理士消費税法の教科書&問題集 1 取引分類・課税標準編 （8月）
みんなが欲しかった！ 税理士消費税法の教科書&問題集 2 仕入税額控除編 （9月）
みんなが欲しかった！ 税理士消費税法の教科書&問題集 3 納税義務編 （10月）
みんなが欲しかった！ 税理士消費税法の教科書&問題集 4 申告制度・納税点その他編 （11月）

みんなが欲しかった！ 税理士財務諸表論の教科書&問題集 1 損益会計編 （8月）
みんなが欲しかった！ 税理士財務諸表論の教科書&問題集 2 資産会計編 （8月）
みんなが欲しかった！ 税理士財務諸表論の教科書&問題集 3 資産・負債・純資産会計編 （9月）
みんなが欲しかった！ 税理士財務諸表論の教科書&問題集 4 構造論点・その他編 （9月）
みんなが欲しかった！ 税理士財務諸表論の教科書&問題集 5 理論編 （9月）

●解き方学習用問題集

現役講師の解答手順、思考過程、実際の書込みなど、㊙テクニックを完全公開した書籍です。

簿 記 論	個別問題の解き方	〔第7版〕
簿 記 論	総合問題の解き方	〔第7版〕
財務諸表論	理論答案の書き方	〔第7版〕
財務諸表論	計算問題の解き方	〔第7版〕

●その他関連書籍

好評発売中！

消費税課否判定要覧 〔第5版〕
法人税別表4、5(一)(二)書き方完全マスター 〔第6版〕
女性のための資格シリーズ 自力本願で税理士
年商倍々の成功する税理士開業法
Q&Aでわかる 税理士事務所・税理士法人勤務 完全マニュアル

TACの書籍は
こちらの方法でご購入
いただけます

1 全国の書店・大学生協　　**2** TAC各校 書籍コーナー

3 CYBER BOOK STORE TAC出版書籍販売サイト 〔アドレス〕 https://bookstore.tac-school.co.jp/

書籍の正誤に関するご確認とお問合せについて

書籍の記載内容に誤りではないかと思われる箇所がございましたら、以下の手順にてご確認とお問合せをしてくださいますよう、お願い申し上げます。

なお、正誤のお問合せ以外の**書籍内容に関する解説および受験指導などは、一切行っておりません。**
そのようなお問合せにつきましては、お答えいたしかねますので、あらかじめご了承ください。

1 「Cyber Book Store」にて正誤表を確認する

TAC出版書籍販売サイト「Cyber Book Store」の
トップページ内「正誤表」コーナーにて、正誤表をご確認ください。

CYBER TAC出版書籍販売サイト
BOOK STORE

URL: https://bookstore.tac-school.co.jp/

2 **1**の正誤表がない、あるいは正誤表に該当箇所の記載がない
⇒ 下記①、②のどちらかの方法で文書にて問合せをする

★ご注意ください★

お電話でのお問合せは、お受けいたしません。
①、②のどちらの方法でも、お問合せの際には、「お名前」とともに、
「対象の書籍名(○級・第○回対策も含む)およびその版数(第○版・○○年度版など)」
「お問合せ該当箇所の頁数と行数」
「誤りと思われる記載」
「正しいとお考えになる記載とその根拠」
を明記してください。
なお、回答までに1週間前後を要する場合もございます。あらかじめご了承ください。

① ウェブページ「Cyber Book Store」内の「お問合せフォーム」より問合せをする

【お問合せフォームアドレス】

https://bookstore.tac-school.co.jp/inquiry/

② メールにより問合せをする

【メール宛先　TAC出版】

syuppan-h@tac-school.co.jp

※土日祝日はお問合せ対応をおこなっておりません。
※正誤のお問合せ対応は、該当書籍の改訂版刊行月末日までといたします。

乱丁・落丁による交換は、該当書籍の改訂版刊行月末日までといたします。なお、書籍の在庫状況等により、お受けできない場合もございます。
また、各種本試験の実施の延期、中止を理由とした本書の返品はお受けいたしません。返金もいたしかねますので、あらかじめご了承くださいますようお願い申し上げます。

(2022年7月現在)

答案用紙の使い方

　この冊子には、答案用紙がとじ込まれています。下記を参照してご利用ください。

STEP1

一番外側の色紙（本紙）を残して、答案用紙の冊子を取り外してください。

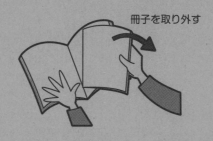

冊子を取り外す

STEP2

取り外した冊子の真ん中にあるホチキスの針は取り外さず、冊子のままご利用ください。

● 作業中のケガには十分お気をつけください。
● 取り外しの際の損傷についてのお取り替えはご遠慮願います。

答案用紙はダウンロードもご利用いただけます。
TAC出版書籍販売サイト、サイバーブックストアにアクセスしてください。

| TAC出版 | 検索 |

税理士受験シリーズ⑯
所得税法　総合計算問題集　基礎編

別 冊 答 案 用 紙

目　　次

TAC出版
TAC PUBLISHING Group

| 問題1 | ＜答案用紙＞ | 解答時間 | ／55分 | 自己採点 | ／50点 |

Ⅰ　各種所得の金額

摘　　要	金　額	計　算　過　程　　　（単位：円）
利 子 所 得		
配 当 所 得		
不 動 産 所 得		
事 業 所 得		

給 与 所 得		
退 職 所 得		
山 林 所 得		
譲 渡 所 得		Ⅰ　総　合
		Ⅱ　土地建物等

一 時 所 得		
雑 所 得		

Ⅱ　課税標準

摘　　　要	金　　額	計　算　過　程　　　　（単位：円）
合　　　計		

Ⅲ 所得控除額

摘　　要	金　額	計　算　過　程　　　　（単位：円）
雑　損　控　除		
社会保険料控除		
小 規 模 企 業 共済等掛金控除		
生命保険料控除		
地震保険料控除		
寄 附 金 控 除		
配 偶 者 控 除		
配偶者特別控除		
扶　養　控　除		
障 害 者 控 除		
基　礎　控　除		
合　　　計		

Ⅳ 課税所得金額

摘　　要	金　額	計　算　過　程　　　　（単位：円）

Ⅴ 納付税額

摘　　要	金　額	計　算　過　程　　　　（単位：円）
算　出　税　額		
配　当　控　除　額		
基　準　所　得　税　額		
復　興　特　別所　得　税　の　額		
所　得　税　及　び復　興　特　別所　得　税　の　額		
源　泉　徴　収　税　額		
申　告　納　税　額		

| 問題2 | ＜答案用紙＞ | 解答時間 | ／60分 | 自己採点 | ／50点 |

I　各種所得の金額

摘　　要	金　額	計　算　過　程　　　　　（単位：円）
事　業　所　得		

不 動 産 所 得		

利 子 所 得		
配 当 所 得		
譲 渡 所 得		
一 時 所 得		

Ⅱ　課税標準

摘　　　要	金　　額	計 算 過 程　　（単位：円）
合　　　計		

Ⅲ 所得控除額

摘　　要	金　　額	計　算　過　程　　　（単位：円）
雑　損　控　除		
社会保険料控除		
医 療 費 控 除		
地震保険料控除		
（　　　）控除		
配 偶 者 控 除		
配偶者特別控除		
扶　養　控　除		
障 害 者 控 除		
基　礎　控　除		
合　　　計		

Ⅳ　課税所得金額

摘　　　要	金　　額	計　算　過　程　　　　　（単位：円）

Ⅴ　納付税額

摘　　　要	金　　額	計　算　過　程　　　　　（単位：円）
算　出　税　額		
配　当　控　除　額		
基　準　所　得　税　額		
復　興　特　別所　得　税　の　額		
所　得　税　及　び復　興　特　別所　得　税　の　額		
源　泉　徴　収　税　額		
申　告　納　税　額		

| 問題３ | ＜答案用紙＞ | 解答時間 | ／60分 | 自己採点 | ／50点 |

Ｉ　各種所得の金額

摘　　要	金　　額	計　算　過　程　　　（単位：円）
不 動 産 所 得		

山 林 所 得		
譲 渡 所 得		I　総　合

		Ⅱ　土地建物等
配 当 所 得		

Ⅱ　課税標準

摘　　要	金　　額	計　算　過　程　　　（単位：円）
合　　計		

Ⅲ　所得控除

摘　　　要	金　　額	計　算　過　程　　　（単位：円）
医 療 費 控 除		
社会保険料控除		
地震保険料控除		
寄 附 金 控 除		
配 偶 者 控 除		
配偶者特別控除		
扶 養 控 除		
障 害 者 控 除		
基 礎 控 除		
合　　　計		

Ⅳ　課税所得金額

摘　　　要	金　　額	計　算　過　程　　　（単位：円）

V 納付税額

摘　　要	金　　額	計　算　過　程　　（単位：円）
算　出　税　額		
配　当　控　除　額		
基　準　所　得　税　額		
復　興　特　別 所　得　税　の　額		
所　得　税　及　び 復　興　特　別 所　得　税　の　額		
源　泉　徴　収　税　額		
申　告　納　税　額		

| 問題4 | ＜答案用紙＞ | 解答時間 | ／55分 | 自己採点 | ／50点 |

I 各種所得の金額

摘　　要	金　額	計　算　過　程　　　（単位：円）
不 動 産 所 得		
事 業 所 得		

所得　総合　基礎　問題4-2

譲 渡 所 得		I 総 合
		II 土地建物等

		Ⅲ 株式等
配 当 所 得		
一 時 所 得		

Ⅱ 課税標準

摘　　要	金　額	計　算　過　程　　（単位：円）
合　　計		

Ⅲ　所得控除額

摘　　要	金　額	計　算　過　程　　（単位：円）
雑　損　控　除		
社会保険料控除		
配 偶 者 控 除		
配偶者特別控除		
扶　養　控　除		
障 害 者 控 除		
基　礎　控　除		
合　　計		

Ⅳ　課税所得金額

摘　　要	金　額	計　算　過　程　　（単位：円）

V　納付税額

摘　　要	金　額	計　算　過　程　　　　（単位：円）
算　出　税　額		
配 当 控 除 額		
基 準 所 得 税 額		
復 興 特 別所 得 税 の 額		
所 得 税 及 び復 興 特 別所 得 税 の 額		
源 泉 徴 収 税 額		
申 告 納 税 額		

| 問題5 | ＜答案用紙＞ | 解答時間 | ／60分 | 自己採点 | ／50点 |

I　各種所得の金額

摘　　要	金　　額	計　算　過　程　　（単位：円）
事 業 所 得		

不 動 産 所 得		
譲 渡 所 得		I　総　合
		II　土地建物等

（一般株式等）		Ⅲ　株式等
配　当　所　得		
一　時　所　得		

所得 総合 基礎 問題５－４

利 子 所 得		

Ⅱ　課税標準

摘　　　要	金　　額	計　算　過　程　　　（単位：円）
合　　　計		

Ⅲ　所得控除額

摘　　　要	金　　額	計　算　過　程　　　（単位：円）
医 療 費 控 除		
社会保険料控除		
生命保険料控除		
地震保険料控除		
配 偶 者 控 除		
配偶者特別控除		
扶 養 控 除		

（　　　　）控除		
基　礎　控　除		
合　　　計		

IV　課税所得金額

摘　　　要	金　　額	計　算　過　程　　　（単位：円）
		〔千円未満切捨〕

V　納付税額

	摘　　要	金　　額	計　算　過　程　　　（単位：円）
算出税額	（　　　）に対する税額		
	（　　　）に対する税額		
	（　　　）に対する税額		
	算出税額合計		
配　当　控　除　額			

基 準 所 得 税 額		
復　興　特　別 所 得 税 の 額		
所 得 税 及 び 復　興　特　別 所 得 税 の 額		
源 泉 徴 収 税 額		
申 告 納 税 額		

| 問題6 | ＜答案用紙＞ | 解答時間 | ／65分 | 自己採点 | ／50点 |

I 各種所得の金額

摘　　　要	金　　額	計　算　過　程　　　（単位：円）
利 子 所 得		
配 当 所 得		
不 動 産 所 得		
事 業 所 得		

所得 総合 基礎 問題6－2

譲 渡 所 得		Ⅰ　総　合
		Ⅱ　株式等
山 林 所 得		
雑　所　得		

Ⅱ 課税標準

摘　　要	金　　額	計　算　過　程　　（単位：円）
総所得金額 一般株式等に係る 譲渡所得等の金額 山林所得金額		
合　　計		

Ⅲ 所得控除額

摘　　要	金　　額	計　算　過　程　　（単位：円）
雑　損　控　除		
医　療　費　控　除		
社会保険料控除		
生命保険料控除		
障　害　者　控　除		
配　偶　者　控　除		
配偶者特別控除		

扶 養 控 除		
基 礎 控 除		
合　　計		

IV 課税所得金額

摘　　要	金　額	計 算 過 程　　（単位：円）
課税総所得金額 一般株式等に係る課税 譲渡所得等の金額 課税山林所得金額		

V 納付税額

摘　　要	金　額	計 算 過 程　　（単位：円）
算 出 税 額		
配 当 控 除 額		
基 準 所 得 税 額		
復 興 特 別 所 得 税 の 額		
所 得 税 及 び 復 興 特 別 所 得 税 の 額		
源 泉 徴 収 税 額		
申 告 納 税 額		

| 問題7 | ＜答案用紙＞ | 解答時間 | ／65分 | 自己採点 | ／50点 |

I　各種所得の金額

摘　　　要	金　　額	計　算　過　程　　　（単位：円）
利 子 所 得		
不 動 産 所 得		
事 業 所 得		

譲 渡 所 得		
一 時 所 得		

Ⅱ 課税標準

摘　　　要	金　　額	計 算 過 程 　　　（単位：円）
合　　　計		

Ⅲ 所得控除額

摘 要	金 額	計 算 過 程　　　　　（単位：円）
雑 損 控 除		
社会保険料控除		
医 療 費 控 除		
寄 附 金 控 除		
配 偶 者 控 除		
配偶者特別控除		
扶 養 控 除		
障 害 者 控 除		
基 礎 控 除		
合 計		

Ⅳ 課税所得金額

摘 要	金 額	計 算 過 程　　　　　（単位：円）
		〔千円未満切捨〕

V　納付税額

摘　　　要	金　　額	計　算　過　程　　　（単位：円）
算　出　税　額		
住宅借入金等特別控除額		
基準所得税額		
復　興　特　別所　得　税　の　額		
所　得　税　及　び復　興　特　別所　得　税　の　額		
源泉徴収税額		
申　告　納　税　額		〔百円未満切捨〕

| 問題8 | ＜答案用紙＞ | 解答時間 | ／60分 | 自己採点 | ／50点 |

I 各種所得の金額

摘　　要	金　　額	計　算　過　程　　（単位：円）
利 子 所 得		
配 当 所 得		
事 業 所 得		

給 与 所 得		
退 職 所 得		
譲 渡 所 得		Ⅰ 総 合

		II 土地建物等
一 時 所 得		
雑 所 得		

II 課税標準

摘 要	金 額	計 算 過 程 （単位：円）
総所得金額		
長期譲渡所得の金 額		
退職所得金額		
合 計		

III 所得控除

摘 要	金 額	計 算 過 程 （単位：円）
医 療 費 控 除		
生命保険料控除		
配 偶 者 控 除		

配偶者特別控除		
扶　養　控　除		
基　礎　控　除		
合　　　計		

IV　課税所得金額

摘　　要	金　　額	計　算　過　程　　（単位：円）
課税総所得金額		
課 税 長 期 譲 渡 所 得 金 額		
課税退職所得金額		

V　納付税額

摘　　要	金　　額	計　算　過　程　　（単位：円）
算　出　税　額		
配 当 控 除 額		
住宅借入金等 特 別 控 除 額		
基 準 所 得 税 額		
復 興 特 別 所 得 税 の 額		

所 得 税 及 び 復 興 特 別 所 得 税 の 額		
外国税額控除額		
源 泉 徴 収 税 額		
申 告 納 税 額		

45

所得 総合 基礎 問題9-1

| 問題 9 | <答案用紙> | 標準
時間 | /65分 | 採点
自己 | /50点 |

Ⅰ　各種所得の金額

所得の種類	金　額	計　算　過　程　（単位：円）
利 子 所 得		
配 当 所 得		
不 動 産 所 得		
事 業 所 得		

給 与 所 得		
退 職 所 得		
譲 渡 所 得 （一般株式等）		(1) 一般株式等
（上場株式等）		(2) 上場株式等
雑 所 得		

Ⅱ 課税標準

区 分	金 額	計 算 過 程 （単位：円）
総所得金額		
一般株式等に係る 譲渡所得等の金額		
上場株式等に係る 譲渡所得等の金額		
退職所得金額		
合 計		

Ⅲ　所得控除額

区　　分	金　　額	計　算　過　程　　　　　　（単位：円）
社会保険料控除		
医 療 費 控 除		
生命保険料控除		
配 偶 者 控 除		
配偶者特別控除		
扶 養 控 除		
障 害 者 控 除		
基 礎 控 除		
合　　計		

Ⅳ　課税所得金額

区　　分	金　　額	計　算　過　程　　　　　　（単位：円）
課税総所得金額		
一般株式等に係る課税譲渡所得等の金額		
上場株式等に係る課税譲渡所得等の金額		
課税退職所得金額		

V 納付税額

区分	金額	計算過程 （単位：円）
算出税額		
配当控除額		
差引所得税額		
復興特別所得税の額		
所得税及び復興特別所得税の額		
源泉徴収税額		
申告納税額		

問題10	＜答案用紙＞	解答時間	／70分	自己採点	／50点

I　各種所得の金額

摘　　要	金　　額	計　算　過　程　　　（単位：円）
配 当 所 得		
不 動 産 所 得		

事業所得

譲　渡　所　得 （分　離　長　期）		I　土地建物等
（上 場 株 式 等）		II　株式等

雑　　所　　得		

II　課税標準

摘　　要	金　　額	計　算　過　程　　（単位：円）
総 所 得 金 額		
長 期 譲 渡 所 得 の 　 金 　 額		
上場株式等に係る 譲渡所得等の金額		
合　　　計		

III　所得控除額

摘　　要	金　　額	計　算　過　程　　（単位：円）
社会保険料控除		
小規模企業共済等 掛 　 金 　 控 　 除		
生命保険料控除		
寄 附 金 控 除		
障 害 者 控 除		
配 偶 者 控 除		
配偶者特別控除		

扶　養　控　除		
基　礎　控　除		
合　　　計		

IV　課税所得金額

摘　　　要	金　　額	計　算　過　程　　　（単位：円）
課税総所得金額		
課税長期譲渡所得金額		
上場株式等に係る課税譲渡所得等の金額		〔千円未満切捨〕

V　納付税額

摘　　　要	金　　額	計　算　過　程　　　（単位：円）
算　出　税　額		
配　当　控　除　額		
基　準　所　得　税　額		
復　興　特　別所　得　税　の　額		
所　得　税　及　び復　興　特　別所　得　税　の　額		
源　泉　徴　収　税　額		
申　告　納　税　額		〔百円未満切捨〕